LES IDÉES
DU JARDINIER PARESSEUX

Larry Hodgson

POTAGER

Broquet

97-B, Montée des Bouleaux
Saint-Constant, Qc, Canada J5A 1A9
Tél.: 450-638-3338, Téléc.: 450-638-4338
Internet : http://www.broquet.qc.ca
Courriel : info@broquet.qc.ca

Catalogage avant publication de Bibliothèque
et Archives Canada

Hodgson, Larry

Potager

(Les idées du jardinier paresseux)

Comprend des réf. bibliogr. et un index.

ISBN 978-2-89000-832-8

1. Horticulture potagère. 2. Légumes. I. Titre. II. Hodgson, Larry. Idées
du jardinier paresseux.

SB321.H62 2007   635   C2007-940120-1

Pour l'aide à la réalisation de son programme éditorial,
l'éditeur remercie :
  le Gouvernement du Canada par l'entremise du Programme
  d'aide au développement de l'industrie de l'édition (PAIDÉ) ; la
  Société de développement des entreprises culturelles (SODEC) ;
  l'association pour l'exportation du livre canadien (AELC). Le
  Gouvernement du Québec - Programme de crédit d'impôt pour
  l'édition de livres - Gestion SODEC.

Copyright © Broquet Inc., Ottawa 2007
Dépôt légal - Bibliothèque nationale du Québec
1er trimestre 2007

Illustrations : Claire Tourigny
Réviseurs : Denis Poulet, Marcel Broquet
Infographie : Josée Fortin, Émilie Rainville
Direction artistique : Brigit Levesque

ISBN : 978-2-89000-832-8

Imprimé au Canada

TABLE DES MATIÈRES

*Je dédie ce livre à mon fils Mathieu et à son
amie, Catherine Sylvain, dont la passion
pour les légumes a réveillé en moi un intérêt
devenu un peu dormant avec le temps et
dont l'enthousiasme débordant m'a poussé
à regarder de nouveau les légumes avec toute
la fascination qu'ils méritent.*

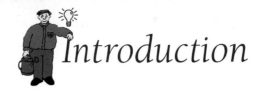 *Introduction*

Je cultive un potager depuis mon enfance. À partir de quel âge, je ne saurais dire, et mon père, mon mentor en matière de potager, n'est plus là pour me le rappeler. Mais chez nous, chaque enfant avait son petit lopin de potager dès le plus jeune âge… dès qu'il pouvait lever une binette, j'imagine.

Le potager familial était tout ce qu'il y avait de plus traditionnel : rangs bien espacés, labourage en profondeur chaque printemps, beaucoup de sarclage, etc. Il y avait même le « tas de compost » à ciel ouvert où l'on semait toujours des citrouilles (c'était avant que le progrès essaie d'assainir le compostage en le casant dans des boîtes en plastique). Il y a eu des hauts et des bas, bien sûr (je me souviens surtout de l'année où un arbre est tombé sur mon lopin en plein été, anéantissant toutes mes récoltes), et je ne pense pas que mes récoltes étaient si spectaculaires, mais j'étais tellement fier de montrer mes résultats au concours horticole des jeunes qu'on organisait chaque année dans le secteur. J'ai même remporté quelques rubans… mais il faut dire que la compétition n'était pas féroce.

En quittant la maison paternelle pour emménager dans un appartement, j'ai perdu tout accès à une cour arrière cultivable, condition sublime et enviable que je ne devais retrouver que plus de 20 ans plus tard. Ce furent donc deux décennies de déménagements et de changements de quartier, et rarement ai-je pu maintenir un potager plus de trois ans. Et quels potagers ! Parfois dans des jardins communautaires, parfois sur des terrains vagues, parfois sur un balcon, une fois en terrasse dans une falaise, des essais de potager intérieur, etc. J'ai enfin abouti dans ma maison actuelle, avec une cour arrière… asphaltée ! Maintenant l'asphalte a disparu. Il y a de nouveau de la bonne terre partout, qui me permet de jardiner « de façon correcte ». Mais je ne tiens plus de potager, du moins pas au sens strict du terme. Je cultive des légumes, bien sûr, mais ils sont mélangés à mes plantations ornementales. Et pourquoi pas ? Les légumes sont aussi jolis que n'importe quelle autre plante.

Au fil de tous ces changements, l'idée que je me faisais d'un potager et de la manière de le maintenir a évolué grandement… et évoluera encore, j'en suis sûr. J'ai découvert que bien des pratiques auxquelles j'avais recours étaient inefficaces, voire néfastes, qu'il est parfois possible de produire plus de légumes dans un petit espace que dans un grand, qu'un potager doit surtout être à portée de la main, etc.

Mes projets ? Je lorgne sérieusement le toit de ma maison, d'inclinaison très faible, comme potager éventuel. Il y a beaucoup d'espace là-haut, et le plein soleil. C'est l'accès qui m'embête : je ne suis pas friand des échelles !

Et je dois penser à mes vieux jours. Je me vois bien à 95 ans, en fauteuil roulant, m'occupant de mes bacs sur roulettes avec éclairage intégré. En effet, un jardinier jardine… toujours.

Faites de beaux légumes !

Larry Hodgson
Le jardinier paresseux

PREMIÈRE PARTIE

Photo : National Garden Bureau

LE POTAGER DE LONG EN LARGE

PARESSER AU POTAGER : EST-CE POSSIBLE ?

Oui, paresser au potager c'est possible… si c'est le potager de quelqu'un d'autre ! Sérieusement, c'est vraiment la première question à se poser. Ai-je le droit de cultiver des légumes et me prétendre quand même jardinier paresseux ? Car il faut l'admettre tout de go, maintenir un potager n'est pas de tout repos. Si l'on n'applique pas des techniques de jardinier paresseux, c'est la forme de jardinage qui demande le plus de travail, après la culture des fruitiers. Les légumes sont des plantes exigeantes, bien plus que des vivaces, des annuelles ou des arbustes, et ils ne tolèrent aucun relâchement de la part du jardinier. Mais c'est justement la raison pour laquelle les idées du jardinier paresseux peuvent être si intéressantes. Il y a moyen de réduire le travail « typique » dans un potager d'au moins 80 % si on applique certaines techniques très faciles. Donc, le potager du jardinier paresseux demandera du travail, c'est évident, mais beaucoup moins que ce que vous pourriez penser.

Par contre, si vous êtes vraiment paresseux, si pour vous le jardinage est une tâche ardue et interminable dont vous pourriez vous passer mais que vous pratiquez parce que vous avez un terrain et que vous devez tout de même vous en occuper, fermez ce livre et allez ailleurs. Il y a plusieurs autres livres dans la série du *Jardinier paresseux* et dans celle des *Idées du jardinier paresseux* qui pourront vous aider à réduire au minimum le travail sur votre terrain (*Les 1500 trucs du jardinier paresseux*, notamment). Ne pensez même pas au potager, toujours exigeant. Concentrez plutôt vos efforts à remplacer le gazon par des plantations moins exigeantes, comme des plates-bandes de vivaces, de bulbes, d'annuelles, d'arbustes, etc.

Il faut en effet un certain amour du jardinage pour entreprendre la culture des légumes… ou encore il faut être tellement à court d'argent que cultiver des légumes semble la seule façon de vous mettre quoi que ce soit sous la dent. Vous allez investir de nombreuses heures dans votre potager, d'abord pour l'installer, puis pour l'entretenir. Si ce n'est pas un plaisir, vous ne le ferez pas et vos résultats seront décourageants. Mais si vous aimez cultiver des plantes, si vous trouvez passionnant de voir de petites tiges sortir de terre, si récolter vos propres légumes est enrichissant, vous allez beaucoup apprécier ce livre.

BIOLOGIQUE OU CHIMIQUE ?

La question ne se pose presque plus de nos jours, non seulement parce que beaucoup des produits de synthèse les plus toxiques ont été retirés du marché (il ne reste presque plus de pesticides de synthèse encore homologués pour les légumes), mais surtout parce que les jardiniers modernes sont mieux renseignés sur le sujet.

Mais le mouvement biologique, pour lequel j'ai énormément de respect, a accepté comme véridiques certaines techniques douteuses, comme la plantation selon les phases de la lune et le double bêchage, sans trop se poser de questions. Je dois être un sceptique-né, car je tiens à avoir des preuves avant de faire quelque chose. Et je ne me considère pas moins comme un jardinier biologique parce que je ne passe pas par le rituel de dynamisation des solutions avant de les appliquer ni ne plante des cornes de vache aux quatre coins de mon terrain pour mieux concentrer l'énergie du sol. Pour moi, jardiner biologiquement, c'est respecter la nature, tout simplement. J'évite les produits toxiques, j'applique le moins possible de pesticides, même biologiques, et je ne fais usage excessif d'aucun engrais, même biologique.

Pour moi, faire un potager biologique, c'est donc…

JARDINER AVEC RESPECT

Comment expliquer en quelques mots ma façon de cultiver un potager? Elle est biologique mais pas extrémiste, et plus terre à terre qu'ésotérique. J'ai résumé mes idées en sept préceptes qui m'ont donné d'excellents résultats et que j'ai rassemblés sous l'acronyme RESPECT.

Traitez votre potager avec RESPECT.

Rotation : assurez-vous toujours d'une rotation des cultures.

Environnement : choisissez le bon environnement pour le potager et pour chaque plante.

Sol : maintenez la qualité du sol en le retournant le moins souvent possible et en vous assurant qu'il est toujours riche et libre de mauvaises herbes.

Paillis : appliquez-en toujours, sans exception.

Évitez les monocultures : elles ne font qu'attirer les ennemis.

Cultivez des variétés résistantes : elles vous assureront la paix.

Tolérez les animaux bénéfiques : leur rôle est de vous aider.

Vous verrez qu'il est vraiment facile d'obtenir d'excellentes récoltes avec peu de travail si vous traitez votre potager avec RESPECT.

DES IDÉES DE PARTOUT

Les techniques que je promeus pour le potager proviennent de différentes sources. Il y a bien sûr de bonnes vieilles techniques qui ont toujours donné de bons résultats, ainsi que des techniques adaptées d'autres types de jardinage (l'utilisation de papier journal comme barrière contre les mauvaises herbes, par exemple) ou d'idées glanées dans différents livres et journaux, mais je dois admettre que la technique de jardinage dans des planches surélevées m'a beaucoup influencé.

Cette technique, bien que n'étant pas nouvelle en soi, a été revitalisée et revue par Mel Bartholomew dans son livre *Le jardinage en carrés*, publié en 1981 (dans sa version originale en langue anglaise). Cette idée, qui consiste à concentrer la culture des légumes en moins d'espace en s'assurant d'un sol de parfaite qualité (c'est du moins comme ça que je perçois sa façon de jardiner), fut une révélation.

Au moment où j'ai découvert le jardinage en carrés, je faisais justement mes premiers pas dans le jardinage en contenant, avec un potager sur un balcon au quatrième étage. Espace oblige, je faisais un peu comme il recommandait, bien que mes plantations fussent « concentrées » en pot plutôt qu'en peine terre. Et ça marchait ! Quand enfin j'ai eu accès à un peu de *terra firma*, j'ai expérimenté plusieurs de ses idées avec un tel succès que je considère maintenant mon ancienne façon de jardiner – dans un vaste potager au sol lourd et peu productif, où il y avait plus d'espace entre les rangs qu'il y en avait en culture – avec horreur. Quel gaspillage d'espace !

Le jardinage en carrés permet de produire beaucoup de légumes en peu d'espace.

COMMENCER DU BON PIED

Pour avoir du succès avec un potager, il faut un environnement approprié. C'est d'ailleurs le deuxième précepte du RESPECT : choisissez le bon environnement pour le potager et pour chaque plante.

L'emplacement du potager

Où faire un potager ? Je pourrais presque répondre « n'importe où », car on peut faire un potager sur un balcon ou sur un toit plat aussi facilement que dans l'emplacement traditionnel, soit en pleine terre dans le fond de la cour arrière. Mais ce serait mentir. Car il y a de bons balcons comme des mauvais… et de bons fonds de cour arrière et de moins bons aussi.

Photo : www.jardinierparesseux.com

On peut faire un potager presque n'importe où, même dans une petite cour en ville, mais il faut qu'il y ait du soleil !

Le premier facteur à considérer est la lumière. Les légumes, pour la vaste majorité, sont des plantes de plein soleil. Même si plusieurs peuvent tolérer une exposition moins que parfaite, leur production s'en ressentira. À quoi bon semer des légumes si on ne peut s'attendre à obtenir une récolte digne de ce nom ? Il faut du plein soleil ou presque, ce qui veut dire sans ombre. Les plantes du potager généreront amplement d'ombre elles-mêmes, ombrageant leurs voisines, sans commencer avec de l'ombre venant d'ailleurs.

Comment savoir si un emplacement est au plein soleil ou pas ? La seule façon logique est de vous réserver une « journée de vérification » où vous serez à la maison toute la journée. Placez des piquets ou des objets aux quatre coins du potager prévu et vérifiez, heure par heure, s'ils sont au soleil ou à l'ombre. Évidemment, un tel test fonctionnera mieux à la fin de l'été ou au début de l'automne, quand non seulement les arbres caducs sont en feuilles, mais aussi que le soleil se présente à un angle plus oblique qu'au début de l'été. En réalité, peu d'emplacements sont au «plein soleil», surtout en ville ou en banlieue. À défaut du plein soleil (aucune ombre du tout), l'emplacement devrait profiter d'au moins huit heures sans ombre. Je sais, c'est plus que la définition de «soleil» utilisée pour les plates-bandes, mais je vous rappelle que les légumes sont plus exigeants que des vivaces ou des annuelles.

Autre facteur important, le potager doit être le plus proche possible de votre cuisine. Carrément à la porte, si possible. Loin des yeux, loin du cœur, dit-on, et c'est vrai. Quand un potager est situé de telle façon que vous le voyez presque constamment, vous aurez plus tendance à arroser dès que les feuilles se fanent, à réagir promptement quand des insectes ou des animaux attaquent, et tout simplement à vous occuper davantage de ses besoins. Et seriez-vous vraiment prêt à parcourir un kilomètre pour aller chercher quelques feuilles de laitue pour une salade par une journée chaude et humide? Or, vous ne penserez même pas au temps qu'il fait si le potager est à la porte de votre cuisine.

Je dis cela en sachant que, pour bien des gens, le potager se trouve nécessairement dans un jardin communautaire et qu'il est très rarement à la porte. Veut, veut pas, ce n'est pas la situation idéale. À l'époque où j'avais un lot dans un jardin communautaire, je m'allouais le samedi avant-midi pour m'occuper du potager, ou le dimanche en cas de pluie. Combien de fois ai-je découvert des légumes presque asséchés ou un problème d'insectes qu'il aurait fallu que je règle trois ou quatre jours auparavant? J'ai eu beaucoup plus de succès (et de bien plus beaux légumes) avec un potager sur balcon plus petit, mais qui était carrément sous mes yeux quotidiennement.

Si vous décidez quand même d'avoir un potager loin de votre demeure, donnez-vous comme ligne de conduite de le visiter tous les jours. Ce sera plus facile si vous êtes retraité, à la maison avec de jeunes enfants, ou si le potager se trouve sur le chemin que vous prenez en allant travailler.

Photo : www.jardinierparesseux.com

Un potager doit être près d'une source d'eau.

Maintenant, soyons pratiques. Il faut une source d'eau et d'outils à proximité de votre potager. Les jardins que j'ai faits sur des terrains vagues ou sur d'autres espaces «empruntés» souffraient du fait que je devais trimballer l'eau et les outils à chaque déplacement. Et l'eau est si lourde!

Si votre potager se trouve sur votre terrain, assurez-vous non seulement que le tuyau d'arrosage peut s'y rendre, mais installez un support pour le tuyau de façon qu'il reste à proximité tout l'été, et ce, même si vous avez installé un système d'irrigation (voir p. 79-80). Parfois vous n'avez pas besoin d'arroser tout le potager mais seulement une section, notamment au moment de la plantation.

Il est aussi très important d'éviter la proximité d'arbres à racines superficielles, comme les grands érables, les bouleaux et les épinettes. D'abord, ils peuvent jeter de l'ombre (ce qui est un moindre problème si vous placez votre potager du côté sud), mais surtout, leurs racines et celles des légumes vont nécessairement entrer en conflit. Et les racines des arbres vont gagner! Habituellement les racines des arbres vont au-delà de leur envergure, environ un tiers plus loin. En cas de doute, essayez d'enfoncer une pelle dans le sol. Si vous heurtez chaque fois des racines ligneuses, c'est-à-dire en bois, vous êtes encore trop près.

Évitez les emplacements à proximité d'arbustes ou d'autres grands végétaux aux rejets envahissants, comme les framboisiers, la renouée japonaise (*Fallopia japonica*) et le vinaigrier (*Rhus typhina* et *R. glabra*). Ces plantes se feront un plaisir d'envahir le secteur au moyen de leurs rhizomes souterrains qui courent à l'horizontale, et bientôt leurs rejets seront partout dans votre potager. Vous pouvez essayer d'insérer une barrière dans le sol entre les envahisseurs et le potager (vous pouvez trouver sur Internet des « barrières à bambou », souvent un rouleau de polyéthylène à haute densité PE-HD de 60 mil et de 75 cm de largeur), mais il faut du travail pour creuser une tranchée de 70 cm de profondeur (laissez les 5 cm supplémentaires exposés au cas où un rhizome essaierait de faire le saut).

Installer une barrière contre les envahisseurs demande beaucoup d'efforts : mieux vaut installer le potager loin de toute compétition racinaire.

Parmi les facteurs mineurs à considérer dans le choix d'un emplacement, il y a le drainage. Un potager doit nécessairement bénéficier d'un bon drainage : les légumes couramment cultivés dans nos régions ne sont pas des plantes de marécage. De plus, les sols détrempés se réchauffent avec une lenteur désespérante au printemps. Si l'endroit où vous vous proposez de faire une plate-bande est constamment détrempé ou se couvre de flaques d'eau après chaque pluie, ce ne sera pas l'idéal… mais au moins ça se corrige. Car je considère que la seule façon logique de faire un potager familial (la situation serait sans doute différente dans le cas d'une culture maraîchère à grande échelle) est d'installer des planches surélevées, ce qui réduit ou élimine le problème de mauvais drainage. Et si le sol est vraiment détrempé, vous n'aurez qu'à surélever le potager davantage. Il est certain qu'un marécage n'est toujours pas l'idéal (après tout, qui veut devoir chausser des bottes pour aller cueillir la moindre carotte ?), mais on peut quand même s'accommoder d'un mauvais drainage.

Par ailleurs, l'emplacement idéal sera légèrement en pente pour que justement les surplus d'eau soient emportés, mais pas trop en pente. Si la pente légère fait face au sud, tant mieux : le sol se réchauffera plus rapidement au printemps, ce qui permettra un début de saison plus hâtif, mais même si la pente fait face au nord, du moment qu'il y a huit heures de soleil, ça ira.

On peut faire un potager en terrasse sur une pente, comme ces rizières à Bali, mais c'est du travail.

Un secteur trop en pente n'est pas l'idéal non plus, car alors la pluie a tendance à ruisseler sur le sol sans y pénétrer. Encore là, le problème peut se corriger à l'aide d'une série de terrasses appuyées contre la pente, un peu comme les rizières en terrasse à Bali. Mais c'est beaucoup de travail, les planches produites sont nécessairement très étroites et l'accès est difficile. Une pente douce est beaucoup plus appropriée.

Un emplacement peu convenable dont le cas est moins facile à régler est celui où le potager se trouve carrément au pied d'une forte pente. C'est que l'air froid descend alors que l'air chaud monte. Il y a donc danger de gels tardifs au printemps et de gels hâtifs à l'automne, car s'il y a une partie du terrain qui gèle, ce sera toujours au pied de la pente. Ce n'est sûrement pas la place pour cultiver des légumes aimant la chaleur, comme les aubergines et les melons !

La qualité du sol d'origine : presque sans importance

Vous remarquerez que je n'ai pas encore mentionné la qualité du sol comme facteur à considérer. C'est que je trouve que c'est un détail mineur. Je suggère de ne *jamais* jardiner dans le sol d'origine de toute façon (voir plus loin), mais toujours d'apporter de la bonne terre pour faire un potager. Donc, que le sol d'origine soit riche ou pauvre, acide ou alcalin, glaiseux, sablonneux, pierreux ou organique n'a presque pas d'importance. La terre d'origine ne sera plus qu'un sous-sol. Il est certain qu'un sous-sol acide va avoir tendance à acidifier la couche de terre que vous apporterez, qu'un sous-sol alcalin va l'alcaliniser, qu'un sous-sol sablonneux va donner un potager un peu plus sec que la moyenne, qu'un sous-sol glaiseux va donner un potager ayant moins besoin d'arrosage, mais ces influences seront mineures et faciles à compenser. Que j'aie pu faire mon premier potager (là où j'habite) sur l'asphalte avec un très bon succès veut tout dire. La qualité du sol d'origine n'a donc que peu d'importance.

Le sol : pas touche !

L'un des aspects les plus controversés du jardinage paresseux est le concept qu'il faut cesser de labourer le sol, exprimé dans le troisième précepte du RESPECT : *Maintenez la qualité du sol en le retournant le moins souvent possible et en vous assurant qu'il est toujours riche et libre de mauvaises herbes.* Pourtant, des générations d'agriculteurs ont mis la main à la charrue (et plus tard, au volant du tracteur) pour retourner la terre… mais des générations d'agriculteurs ont aussi détruit la terre. Partout dans le monde, les sols agricoles ont été appauvris, emportés par l'érosion et vidés de leur vie microbienne et de leur matière organique. Regardez le Croissant fertile, cette région du Moyen-Orient qui a vu naître les premières civilisations agraires du monde, et constatez la piètre qualité de ses sols aujourd'hui. Évidemment, on peut attribuer en partie la baisse de productivité de ces sols à la salinisation, mais la disparition de la couche arable, cette couche si mince de « bonne terre » qui recouvrait le secteur, en est tout autant responsable.

Photo: www.jardinerparesseux.com

Chaque fois qu'on laboure, chaque fois qu'on sarcle, on dérange et on détruit le système naturel.

Un sol en bonne santé physique est constitué d'environ 25 % d'eau, 25 % d'air, 45 % de matière minérale et 5 % de matière organique. Dans un sol compacté, la densité du sol augmente, ce qui réduit l'espace occupé par les pores du sol contenant l'eau et l'air.

Voici une liste partielle des méfaits du labourage traditionnel :

> Le labourage dérange et même détruit la flore microbienne et animale du sol. Les minuscules champignons, bactéries et autres microbes bénéfiques, sans parler des très bénéfiques vers de terre (lombrics), sont retournés sens dessus dessous quand ils ne sont pas carrément tués. Souvent ces petits êtres vivent dans une mince strate de terre où les conditions sont très spécifiques : en les enfouissant plus loin sous le sol ou en les remontant plus proche de la surface, on les perturbe sérieusement. Et qui n'a pas vu des goélands suivre un tracteur à la recherche de vers de terre subitement exposés à leurs ennemis ? Chaque fois qu'on laboure, chaque fois qu'on sarcle, on dérange et on détruit le système naturel, qui essaie alors de se réimplanter jusqu'au prochain labour ou sarclage.

Labourer avec un motoculteur détruit la qualité du sol.

> Labourer fait remonter le sous-sol (terre des profondeurs), généralement impropre à la culture et très glaiseux, sablonneux ou argileux, et enfouit en profondeur la bonne terre dans laquelle les plants auraient pu prospérer.

> Labourer fait remonter en surface des graines de mauvaises herbes, qui s'empressent alors de germer. Certaines graines de mauvaises herbes survivent pendant des décennies en attendant précisément une telle occasion.

> Labourer ameublit le sol au début, brisant les mottes de terre et les espaces entre les particules de terre qui seront remplis tantôt par l'air, tantôt par l'eau, tantôt par les racines des légumes, mais l'effet ne dure pas. Sous l'effet de la pluie et sans la présence des micro-organismes qui le structurent, le sol redevient aussi compacté qu'auparavant et même plus dur. C'est d'ailleurs pour aérer de nouveau le sol devenu dur comme de la pierre (ainsi que pour supprimer les mauvaises herbes qui ont germé par suite du sarclage) que l'on sarcle encore et encore dans le potager labouré.

> Labourer avec un motoculteur crée, dans les sols pierreux ou partiellement argileux, une couche de sol compacté à la profondeur maximale atteinte par ses dents. Cette couche empêche les racines de descendre à la profondeur voulue et peut causer des problèmes de drainage.

Mais, selon moi, la raison principale pour laquelle on ne devrait pas labourer la terre, ou du moins pas souvent, c'est que ce n'est pas « naturel ». D'ailleurs, je suis toujours un peu étonné quand quelqu'un se dit jardinier biologique et qu'il retourne la terre comme pas un. Dans la nature, des matières organiques fraîches s'accumulent à la surface du sol, puis elles se décomposent et sont enfouies par les petits animaux du sol, dont le ver de terre. Ces matières ne vont pas très loin (la couche arable est rarement plus profonde que 30 cm, même dans les sols les plus riches), mais, à l'exception parfois d'une racine pivotante qui sert d'ancre à la plante, les racines des légumes aussi se tiennent surtout dans les 30 premiers centimètres du sol. Jamais Dame Nature n'utilise de motoculteur pour mélanger le sol, et encore moins le double bêchage. C'est contre nature… et la nature sait mieux faire les choses que les humains. Si la nature ne le fait pas, je suggère fortement de suivre son exemple.

> ### LE DOUBLE BÊCHAGE : UNE TECHNIQUE À BANNIR
>
> Quand j'ai commencé à jardiner sérieusement, une nouvelle technique de jardinage potager était très populaire : le double bêchage. On retournait ainsi la terre sur deux pelletées de profondeur, l'idée étant d'ameublir le sol en profondeur. Quelle technique éreintante et frustrante ! Creuser le sol n'est jamais facile, surtout un sol lourd. Imaginez alors retourner la terre à une telle profondeur sur toute la surface d'un potager ! Et le pire est que cette pratique ne faisait que mélanger la terre de sous-sol avec la terre arable. Je vous suggère donc de bannir cette technique, beaucoup plus nuisible que bénéfique. Vos légumes – et votre dos – vous remercieront.

PARTIR DE ZÉRO… DE FAÇON PARESSEUSE

Le premier secret d'une culture de légumes facile et productive consiste à jardiner dans un sol riche, meuble et libre de mauvaises herbes. Voici comment faire si vous commencez à zéro dans un espace où il n'y a jamais eu de potager auparavant, mais peut-être du gazon ou un pré. Notre but va être d'effacer d'un trait toute plante qui était là auparavant pour commencer avec un potager vierge prêt à planter complètement libre de végétaux.

1.   Fauchez ou tondez les plantes qui sont sur place si c'est un pré. N'enlevez pas les déchets coupés, ils serviront à enrichir le sol. S'il s'agit de gazon, sautez cette étape.

2.   Recouvrez tout l'emplacement de 7 à 10 feuilles de papier journal ou de carton non ciré, en veillant à ce que les feuilles se chevauchent de façon à créer une barrière temporaire entre tout ce qui était là auparavant, désormais des mauvaises herbes puisque vous n'en voulez plus, et la nouvelle plate-bande. Si vous le faites par une journée venteuse, trempez le papier dans un seau d'eau avant de l'appliquer pour ne pas qu'il parte au vent.

Pour commencer un nouveau potager, recouvrez la terre d'origine de papier journal et rajoutez une épaisse couche de bonne terre.

3.   Créez une planche surélevée en versant 30 cm de terre à potager sur le papier journal. Les meilleures jardineries offrent de la terre à potager, qui est un mélange de terres et de composts conçu de façon à présenter une bonne structure et un fort taux de matière organique (environ 5 %). La structure est importante pour que la planche ne s'affaisse pas avec le temps et pour favoriser en permanence une bonne circulation d'air et d'eau ainsi que le passage des racines. La matière organique, de son côté, aide à mieux retenir l'eau, à structurer la terre et à fournir, par sa décomposition, des minéraux sur une longue période. Son pH (niveau d'acidité et d'alcalinité, voir p. 40-41) a aussi été déterminé d'avance pour être au niveau qui convient le mieux aux légumes.

4.   Égalisez la planche surélevée avec un râteau, plat sur la surface et avec des marges à un angle de 45 degrés (si vous avez décidé de ne pas utiliser de planches, de blocs de béton ou autre pour maintenir sa structure – voir p. 28-29).

5.   Plantez et paillez !

C'est réellement aussi facile que cela. Il ne faut qu'une heure environ pour installer une planche de culture surélevée de cette manière.

> Tout se joue dans les 30 premiers centimètres du sol.

Quelques trucs :

> N'achetez pas de terre (ni d'ailleurs de compost) en sac quand vous faites un nouveau potager : vous allez payer une fortune ! Sachez que la terre se vend aussi en vrac et coûte beaucoup moins cher. Bientôt, si ce n'est pas déjà le cas dans votre région, il vous sera possible de faire souffler de la terre sur votre nouveau potager à partir d'un camion stationné dans la rue. Quelle économie de temps quand la terre arrive directement au bon emplacement plutôt que d'avoir à la trimballer vous-même en brouette à partir de votre aire de stationnement (c'est habituellement là que le camion-benne déverse le voyage de terre au moment de la livraison).

> N'achetez pas de terre bon marché en pensant que vous pourrez l'améliorer vous-même. Souvent cette terre est infestée de mauvaises herbes, trop acide pour les légumes ou de piètre qualité (pourquoi pensiez-vous qu'elle était si bon marché ?) Et évitez la terre noire, à moins de pouvoir *beaucoup* l'améliorer. La terre noire, du moins celle que l'on vend dans nos régions, est presque toujours trop acide pour les légumes. Tout au plus peut-elle servir d'ingrédient dans une bonne terre à potager, mais n'essayez pas de cultiver des légumes directement là-dedans !

Bientôt la terre sera livrée par souffleur.

> Vous pouvez créer votre potager surélevé immédiatement avant de commencer les plantations… ou plusieurs mois auparavant. Effectivement, beaucoup de jardiniers préfèrent préparer un nouveau potager à l'automne et laisser le sol se reposer et se tasser un peu durant l'hiver. Cela donne aussi le temps aux micro-organismes bénéfiques et aux vers de terre d'amorcer un retour. Si vous procédez ainsi, un détail : recouvrez tout de suite votre planche de 7 à 10 cm de paillis. Ainsi vous empêcherez les graines de mauvaises herbes, apportées par le vent ou les animaux, d'atterrir dans la planche et de commencer à germer.

Pourquoi surélever la planche de culture ?

Quand vous surélevez une planche de culture, vous améliorez nécessairement le drainage. Même lors d'une pluie importante, le sol d'une planche surélevée n'est jamais inondé. Par le fait même, il est aussi plus aéré, car quand l'eau en excès est évacuée du sol, elle laisse des espaces qui se remplissent d'air ; or, les racines ont besoin de beaucoup d'air pour pousser. Par ailleurs, on marche *autour* d'une planche surélevée, pas *dedans*. Marcher sur un sol le comprime à jamais. Il est incroyablement plus facile de maintenir une terre meuble dans une planche surélevée qu'au niveau du sol. Une planche surélevée de 30 cm où on ne met jamais le pied, par-dessus un sous-sol légèrement ameubli au moment de la préparation de la planche, ou ameublie par les vers de terre et autres organismes du sol, vous garantit 45 à 60 cm de sol suffisamment meuble pour la culture des légumes… et c'est tout ce qu'il vous faut !

Photo: www.jardinierparesseux.com

Comme il est impossible de convertir un sol ordinaire en terre de qualité, aussi bien acheter cette denrée rare.

Autre avantage de la culture en planche surélevée, vous avez moins à vous pencher pour travailler dans le potager, car les plants sont surélevés autant que la planche. On peut même, pour le bénéfice des jardiniers souffrant de maux divers qui les empêchent de se pencher, accroître l'élévation de la plate-bande au moyen de blocs de ciment ou de structures de bois à la hauteur qui leur conviendra pour qu'ils puissent travailler à l'aise.

Pourquoi jardiner dans un sol importé?

Il y a deux raisons. La première est que la plupart des terres ne sont pas appropriées à la culture des légumes. Elles sont souvent trop acides, presque toujours trop compactes et mal aérées, rarement assez riches en matière organique et en minéraux… et la liste continue. Très peu de terres sont appropriées aux légumes. C'est pourquoi on ne voit pas de vastes champs de carottes, de laitue ou de tomates dans nos campagnes. Les seules terres réellement bonnes pour les légumes sont des « terres noires[1] » épaisses, habituellement provenant de l'assèchement d'anciens marais. Ces terres sont déjà exploitées pour la culture maraîchère, et si vous vivez dans une région où de telles terres existent, vous le savez déjà car tout le secteur vit de la culture maraîchère.

Oui, pourriez-vous dire, mais on peut toujours améliorer une terre pour la rendre apte à la culture des légumes. C'est vrai. Vous pouvez y ajouter de la chaux pour contrer l'acidité, y incorporer du compost ou de la tourbe pour augmenter le taux de matière organique et l'aérer, l'enrichir d'engrais ou de compost pour augmenter le taux de minéraux… mais dans quelques années, vous en serez exactement où vous aviez commencé. C'est que les terres retournent inexorablement à leur état d'origine. Quand la matière organique est décomposée, l'engrais disparu, la chaux lessivée, la terre de rêve que vous aviez essayé d'obtenir n'est plus qu'une terre de deuxième ou troisième qualité comme auparavant… et vos légumes iront au diable! Le proverbe dit qu'on ne saurait faire d'une buse un épervier, et c'est vrai pour la terre. À moins qu'une terre ne soit naturellement de première qualité pour les légumes (ce qui est extraordinairement rare), il est vain d'essayer d'améliorer une terre sur place.

D'ailleurs, la plupart du temps, les terres des endroits où l'on veut faire un potager ne sont même pas propices à l'agriculture, encore moins à la culture maraîchère, c'est-à-dire à ce que vous essaierez de faire en cultivant des légumes. Ce sont des sous-sols considérés comme impropres à la culture. C'est que, lors de la construction d'une maison, les entrepreneurs prélèvent la bonne terre en surface et la vendent, laissant à nu le sous-sol, constitué souvent de glaise, de sable ou de pierres. Et c'est dans cette terre que vous pensez produire de beaux légumes? Même les meilleurs entrepreneurs ne remettent qu'un maigre 10 cm de « bonne terre » quand ils ont fini la construction. Et la plupart posent plutôt des plaques de gazon directement sur la terre de sous-sol pour donner une apparence invitante aux lieux. Bonne chance si vous voulez produire de beaux légumes dans une telle terre!

---

[1] Attention! La vraie terre noire, ou sol organique, comme celle que l'on trouve dans les régions de culture maraîchère, n'est pas la même « terre noire » qu'on vous vend en sac en jardinerie, laquelle n'est pas de la terre du tout mais de la tourbe (« peat moss ») très décomposée, un produit très acide et faible en nutriments, intéressant peut-être comme ingrédient d'une bonne terre, mais pas pour la culture telle quelle.

L'autre raison pour laquelle il vaut mieux importer une bonne terre à potager que de jardiner dans la terre déjà sur place est que cette dernière est tout probablement infestée de mauvaises herbes et de graines de mauvaises herbes. Or, selon mon expérience, il est beaucoup plus facile de jardiner dans une terre *sans* mauvaises herbes ou graines de mauvaises herbes... et de prendre des précautions pour empêcher les mauvaises herbes de revenir.

Poser une barrière de papier journal et rajouter de la terre ne perturbent-ils pas les organismes du sol?

Absolument, mais pas plus que de retourner la terre. Et à la différence des techniques de jardinage traditionnel, qui exigent un labourage annuel et des sarclages fréquents, très préjudiciables aux organismes du sol, du moins à partir de ce moment, vous allez cesser de retourner la terre pour que les organismes du sol reviennent. Déjà, dans les jours qui suivent l'installation du potager surélevé, les micro-organismes commencent tranquillement à revenir. Vous pouvez favoriser le processus en appliquant des mycorhizes (voir p. 64-65) sur les semis de légumes et en déposant dans la nouvelle terre quelques vers de terre ramassés lors d'autres travaux. À mesure que la barrière de papier journal faiblit, ce qui permet à davantage d'organismes de migrer vers la nouvelle terre, un nouvel équilibre s'établit vraiment, que vous ferez attention de ne plus perturber.

La barrière de papier journal n'empêchera-elle pas mes légumes de diriger leurs racines aussi profondément dans le sol qu'ils le devraient?

Oui, temporairement. Mais si l'on choisit une barrière décomposable comme du papier journal plutôt qu'une barrière permanente comme un géotextile, c'est justement parce que cette barrière disparaîtra quand elle ne sera plus utile. Sous la barrière de papier ou de carton, renforcée par le poids de 30 cm de bonne terre, les mauvaises herbes vivaces et annuelles, même les plus envahissantes, se trouveront prisonnières. Sans lumière, elles mourront et se décomposeront, se transformant en matière organique. Entre-temps, le papier journal aussi commencera à se décomposer et à se changer en matière organique. Au bout d'un an, s'il en reste encore, il sera suffisamment mince pour que les racines des nouvelles plantes venant du haut puissent le transpercer. La première année d'un potager surélevé, il vaut mieux cependant éviter de planter des carottes standard et des panais, car ils sont pratiquement les seuls légumes qui ont besoin de plus de 30 cm de bonne terre pour être productives; sans au moins 45 cm de terre (et de préférence 60 cm), leurs racines risquent d'être rabougries et fourchues. Vous pouvez toutefois cultiver des mini-carottes dans 30 cm de terre.

Le sol où je veux installer mon nouveau potager est dur comme de la pierre. Comment les racines de mes légumes vont-elles faire pour y pénétrer?

Selon mon expérience, quand on arrête de travailler une terre même très compactée, elle finit par se ramollir, par redevenir plus perméable. Les vers de terre et autres organismes du sol vont commencer à la percer, à la « labourer » avec leur va-et-vient, notamment. Cependant, si vous doutez que votre terre soit réellement très compactée, si par exemple elle a servi de terrain de football, de terrain de stationnement de

Il est permis de labourer le sol une dernière fois avant de poser le papier journal et la nouvelle couche de terre.

camion ou de sentier pédestre, vous pourriez, avant l'étape 2 (voir p. 14), l'ameublir légèrement avant de poser le papier journal. Vous pourriez, par exemple, passer sur le sol une fois avec un motoculteur (vous voulez tout simplement « briser la croûte », non pas la réduire en poudre en passant plusieurs fois avec l'appareil) ou encore le faire à la main avec une fourche à bêcher ou une fourche large. Enfoncez la fourche dans le sol aussi loin que vous pouvez (mettez tout votre poids ou sautez même dessus!), puis faites un mouvement de va-et-vient; recommencez 20 cm plus loin et répétez jusqu'à ce que toute la surface ait été ainsi ameublie.

J'ai déjà un potager au niveau du sol. Comment le convertir à une couche surélevée?

Suivez exactement toutes les étapes décrites en détail dans *Partir de zéro... de façon paresseuse* à la page 14.

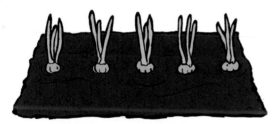

Avec la culture en rangs, on laisse souvent plus d'espace à l'interligne qu'à la culture du légume lui-même.

LE JARDINAGE EN CARRÉS... MODIFIÉ

J'ai mentionné précédemment Mel Bartholomew et sa conception du potager à haut rendement. Son idée de base était de concentrer la culture en moins d'espace en éliminant les rangs de culture. L'idée de cultiver en rangs provient de l'agriculture à grande échelle. Labourer un champ avec une charrue (plus tard, avec un tracteur) laissait une série de tranchées et de monticules longs et étroits. Pourquoi ne pas en profiter pour semer en ligne droite aussi? Mais la culture en rangs dans le potager gaspille beaucoup d'espace : elle laisse, entre chaque rang cultivé, un espace plus large que le rang lui-même, qu'on appelle interligne ou inter-rang, où l'on peut marcher pour avoir accès aux plants afin de les récolter, de désherber, etc. Mel Bartholomew était ingénieur de profession et regardait avec horreur cet interligne : que d'espace perdu! Pour certains légumes, on n'utilisait qu'un tiers du potager en culture, le reste servait d'accès. Sûrement y avait-il moyen d'avoir accès aux plants sans laisser autant d'espace « vide »! D'ailleurs, cet espace ne restait jamais longtemps vide, se remplissant de mauvaises herbes. Et une bonne partie du sarclage servait à maintenir l'interligne accessible plutôt que de contrôler les indésirables parmi les légumes eux-mêmes.

Son idée était d'aménager, plutôt que des rangs, des planches carrées de 1,2 m de côté. Pourquoi 1,2 m? Parce qu'il était américain et habitué à mesurer en pieds. Or, il estimait que chaque planche carrée devait avoir 4 pieds de côté, soit 1,2 m, pour une surface totale de 16 pieds carrés. Il divisait ensuite cette surface en 16 carrés, chacun occupant donc 1 pied carré (ou 30 cm x 30 cm), d'où le nom d'origine de sa méthode, « square foot gardening », qu'on a traduit improprement en français par « jardinage en carrés ». Et dans

NOMBRE DE PLANTS PAR CARRÉ DE 30 CM X 30 CM			
Légume	Nombre de plants	Légume	Nombre de plants
Aubergine	1	Concombre (culture verticale)	1
Bette à carde	4	Haricot à rames	8
Betterave	9	Haricot nain	4
Brocoli	1	Laitue	4
Carotte	16	Oignon	16
Chou de Bruxelles	1	Piment	1
Chou	1	Poivron	1
Chou-fleur	1	Radis	16
Concombre (culture horizontale)	2	Tomate (culture verticale)	1

chacun des petits carrés, il y avait tant de légumes : 1 chou ou 1 tomate, 2 concombres sur support (1 concombre si on le laissait courir au sol), 4 laitues, 16 radis, etc. C'était vraiment très mathématique... un peu trop à mon goût, d'ailleurs.

Ce n'était pas assez d'avoir un carré de légumes (on parle ici du carré de 1,2 m de côté et non du petit carré de 30 cm x 30 cm), il en fallait plusieurs... Et il fallait aussi y avoir accès. En effet, on a beau éliminer les rangs, il faut quand même circuler. Dans la méthode de Mel Bartholomew, on circule uniquement *autour* des carrés ; jamais on ne met le pied dedans. Il préconisait des allées de 60 cm (2 pieds) entre chaque carré : c'est assez large pour circuler facilement et se mettre à genoux sans peine. Et l'on pouvait avoir deux ou trois carrés ou plus dans une rangée, selon les besoins, chacun séparé par une allée de 60 cm, et aussi plusieurs rangées, à leur tour espacées de 60 cm. Donc, le potager se dessinait très géométriquement. Bartholomew avait même calculé que chaque carré demandait exactement une heure d'entretien par semaine et répondait aux besoins minimaux en légumes d'une personne. Quelle précision !

Il faut admirer la simplicité de sa technique... et son efficacité. En effet, en éliminant l'interligne, on gagne beaucoup d'espace de culture. Selon le légume cultivé, on triple ou presque la récolte. Mais il y a quand même les allées entre les carrés à prendre en compte. Disons qu'on double la production plutôt que de la tripler (ce qui est à peu près le cas) : c'est quand même excellent. Qui ne voudrait pas deux fois plus de légumes dans le même espace ?

De plus, ces carrés deviennent permanents, les allées aussi. Donc, année après année, on jardine dans un même espace et on circule dans un autre. Le sol dans le carré demeure meuble et aéré, excellent pour la culture des légumes, car jamais on ne le comprime avec son

Dans la technique du jardinage en carrés, on circule uniquement *autour* des carrés ; jamais on ne met le pied dedans.

poids ; celui dans les allées se compacte à force de marcher dessus et n'est plus utile aux légumes, mais plus facile à arpenter.

Quand on compare avec la culture traditionnelle, en rangs, c'est très différent. On doit refaire le potager tous les ans, labourant toute la terre (en bonne partie pour ameublir l'interligne, comprimé par le piétinement). Mais on a beau labourer, il est très difficile de corriger les dégâts causés par le poids d'un humain sur un sol qu'on veut meuble. Ainsi le sol d'un potager traditionnel n'est-il jamais aussi meuble que dans un potager en carrés, et de plus il empire avec le temps. Par ailleurs, les racines des légumes comprimés entre deux « passages piétonniers » au sol très compacté n'arrivent pas à se développer normalement, et les légumes sont moins gros et moins beaux.

Les dimensions préconisées aussi sont pratiques. Mettez-vous à genoux ou accroupissez-vous, selon votre position préférée, pour, disons, arracher quelques mauvaises herbes, et imaginez que vous le faites. Vous pouvez normalement atteindre les 60 premiers centimètres de potager sans effort. Plus loin, vous devez vous étirer, ce qui est moins commode. Mais comme vous avez accès au carré à partir de chaque côté de 1,2 m (deux fois 60 cm), vous n'avez pas besoin de vous étirer.

DU JARDINAGE EN CARRÉS AU JARDINAGE EN PLANCHES SURÉLEVÉES LONGUES

Je pense que Mel Bartholomew s'est trompé un peu en raison de sa passion pour les carrés. L'idée de base est super, mais au départ ma tête n'arrive pas à travailler avec le nombre 16 (les 16 petits carrés de chaque grand carré) : c'est trop mathématique pour moi. Et pourquoi tant insister sur des *carrés* ? Un rectangle composé de plusieurs carrés mis bout à bout permet un aussi bon accès aux plants (on peut les atteindre de

On peut facilement prolonger les carrés en rectangles et ainsi gagner de l'espace de culture.

chaque côté, nul besoin d'y avoir accès par les extrémités) et économise plus d'espace encore (il y a moins d'espace réservé aux allées). Et a-t-on vraiment besoin de carrés qui font 1,2 m sur 1,2 m dans notre rectangle ? La largeur peut rester à 1,2 m, mais la longueur du rectangle peut être simplement fonction de vos besoins. Si, par exemple, vous disposez d'un espace de 3,5 m de long, pourquoi ne pas faire un rectangle de 2,3 m de long (après avoir enlevé 60 cm à chaque extrémité pour circuler) ? Et si vous avez 6,2 m d'espace, votre rectangle pourrait mesurer 5 m (soit 6,2 m moins deux fois 60 cm). Si vous décidez d'aménager un potager très long, je vous suggère cependant de laisser une allée d'accès à tous les 6 m au moins, de façon à éviter de longs détours.

Par ailleurs, est-ce que 1,2 m constitue la bonne largeur pour une planche ? Tout dépend de vous. Pour moi, 1,2 m, c'est juste ce qu'il faut, car je suis assez grand. D'autres préfèrent 90 cm. Et des très grands, 1,5 m. Et pour ma part, je laisse normalement des allées de 70 cm entre mes rectangles de culture, car j'ai l'avant-jambe longue.

En plus de préconiser des planches de culture longues, j'aime bien ajouter « et surélevées » pour des raisons que j'ai déjà expliquées (voir p. 15-16). Vous obtiendrez une production plus importante et avec moins d'efforts qu'au niveau du sol dans une planche surélevée de 30 cm (ou plus).

Plantation en quinconce

Culture en carré.

Culture en quinconce : on obtient une plus grande production par espace.

Si Mel Bartholomew préconise toujours la culture en carré, moi je préfère la culture en quinconce, c'est-à-dire que les plantes sont disposées par groupes de cinq dont quatre aux quatre angles d'un carré et le cinquième au centre. Remarquez que dans les deux dispositions, les légumes sont équidistants. Pourtant, la culture en quinconce permet d'insérer un légume de plus dans un simple carré. De plus, elle élimine le « trou » dans le centre de tout carré, un espace vide où les mauvaises herbes auraient de l'espace pour germer. Idéalement, un potager d'entretien minimal est plein de végétation : pas d'espace vide égale pas de mauvaises herbes.

Culture en carré

Dans la culture en carré, on perd toujours de l'espace au centre des carrés…

Culture en quinconce

… mais pas dans la culture en quinconce.

La culture en quinconce n'a pas besoin d'être très précise pour augmenter considérablement la production.

Évidemment, même quand on augmente le nombre de carrés, il reste toujours un espace vide, mais avec la culture en quinconce, on vient combler les trous, ce qui augmente la production sans nécessiter plus d'espace. Dans l'exemple de la page précédente, trois carrés de 30 cm x 30 cm (1 pi ca) de quatre légumes donnent 12 légumes, alors qu'on en cultive 17 dans le même espace en appliquant la culture en quinconce. Mathématiquement, on produit 42 % plus de légumes pour le même espace. Mais en réalité (qui est si précis dans ses plantations pour arriver à faire des plantations absolument équidistantes ?), on peut estimer l'augmentation à environ un tiers de plus.

Plantation en rangs… sans interligne

La technique de plantation en quinconce est particulièrement facile à appliquer pour repiquer des plants ou semer de grosses graines comme celles des pois et des haricots, qu'on peut semer manuellement, une à

On peut continuer de faire une culture en rangs, mais des rangs serrés, sans interligne.

la fois. Il est cependant plus compliqué de la pratiquer avec des petites graines très fines. Pour ces légumes, on peut continuer de semer en rangs… mais dans la culture en planches surélevées, on le fera sans interligne. On n'a plus besoin d'interligne puisque, dans nos planches surélevées de 90 à 150 cm de large (voir p. 20), il n'est plus nécessaire de marcher entre les rangs : on a accès à tous les plants d'un côté ou l'autre de la planche. Ainsi peut-on tracer des rangs de façon traditionnelle, mais plus serrés. L'espace entre les « rangs sans interligne » est indiqué pour les légumes semés en pleine terre dans les fiches de la deuxième partie.

Plantation intercalaire

Un potager traditionnel en rangs paraît assez dégarni, même au milieu de l'été quand les plantes commencent à se remplir, à cause de ses vastes interlignes. Il paraît presque vide à la fin des plantations et des semis, quand les plants sont encore jeunes, car on laisse amplement d'espace autour des plants. Ne serait-il pas possible d'utiliser ces espaces vides, ne serait-ce que temporairement ?

L'idée de mélanger des cultures de légumes plus petits ou plus précoces avec des légumes plus gros et à croissance plus lente s'appelle « culture intercalaire ». On l'applique d'abord pour profiter de l'espace disponible et pour assurer une couverture végétale complète (dans le potager d'entretien minimal, on évite les « sols nus » pour ne pas favoriser les mauvaises herbes). Pour bien des jardiniers, culture intercalaire est synonyme de compagnonnage, et il est vrai qu'on peut faire un rapprochement, mais c'est une idée plus terre à terre (le compagnonnage a un petit côté ésotérique absent de la culture intercalaire). Dans la culture intercalaire, on profite pleinement de l'espace disponible, c'est tout.

Et la culture intercalaire a aussi un avantage important qu'on ne lui attribue pas toujours : elle empêche par le fait même les monocultures. Mélanger des légumes différents aide beaucoup à réduire les problèmes.

Photo: www.jardinierparesseux.com

Dans la culture intercalaire, on plante des légumes plus bas ou plus précoces à travers les légumes à croissance plus lente.

BYE-BYE MONOCULTURE!

L'ère de la monoculture semble bien terminée, du moins dans le potager domestique. Il n'y a pas si longtemps, on plantait nos potagers comme les fermiers plantent encore leurs champs: toutes les tomates ensemble, toutes les pommes de terre un peu plus loin, des rangs de laitue dans un autre emplacement, etc. C'était la monoculture. Alors, si un agent destructeur comme un insecte ou une maladie spécifique à un légume survient, il a beau jeu: il n'a même plus à chercher sa victime, on a tout mis ensemble et il peut se transmettre doucement de plante en plante. On sait aussi que plusieurs insectes repèrent leur plante de prédilection à son odeur. Si la plante W est toute seule dans une mer de plantes X, Y et Z, il y a de très bonnes chances que son odeur soit si diluée que son ennemi ne la trouvera pas. Mais si on a planté 100 plantes W dans quatre rangs voisins, l'odeur intensifiée attirera l'ennemi de loin. La forme de jardinage où différents légumes sont plantés ensemble plutôt qu'en rangs s'appelle la polyculture et c'est une forme rudimentaire de culture intercalaire.

Photo: National Garden Bureau

Les monocultures, comme ce champ d'oignons, mènent souvent à des problèmes d'insectes et de maladies qui nécessitent – ô horreur! – l'utilisation de pesticides.

J'en profite ici pour rappeler le cinquième des préceptes du potager du paresseux, qui correspond au deuxième E de l'acronyme RESPECT: évitez les monocultures: elles ne font qu'attirer les ennemis. La monoculture est morte, du moins dans le potager du paresseux. Vive la polyculture!

À mesure que le potager se vide après diverses récoltes, on le remplit de nouveau avec d'autres légumes.

Le bois raméal fragmenté est un bon paillis et ne coûte rien.

Semis successifs

De l'idée de la culture intercalaire et du besoin de garder le potager plein de végétaux découle le concept des semis successifs. C'est un concept facile à saisir : à mesure que le potager se vide après diverses récoltes, on le remplit de nouveau avec d'autres légumes. Évidemment, s'il faut quatre à cinq mois pour produire des tomates (en tenant compte de leur culture à l'intérieur et à l'extérieur), il n'y a pas suffisamment de temps sous notre climat pour faire des semis successifs de ce légume, ni d'autres légumes à maturation lente. On peut cependant faire au moins une deuxième culture de la plupart des légumes-racines et des légumes-feuilles. Certains légumes, comme la laitue et le radis, se prêtent à plusieurs semis successifs durant la saison ; on peut même en faire des semis successifs aux deux semaines durant tout l'été pour avoir des légumes frais à se mettre sous la dent jusqu'à la fin de l'automne.

LE PAILLIS : UN ÉLÉMENT ESSENTIEL À TOUT POTAGER D'ENTRETIEN MINIMAL

Si l'un des principes de base d'un potager d'entretien minimal est de le surélever au moyen de 30 cm de bonne terre, l'autre est de *toujours* pailler avec des matières organiques. C'est le quatrième précepte du RESPECT, correspondant au P : Appliquez toujours du paillis, sans exception. Le paillis décomposable est essentiel au maintien de la qualité du sol, d'une bonne humidité, de l'élimination des mauvaises herbes, etc.

Les avantages du paillis

Voici les principaux avantages du paillis :

> Le mot « paillis » dérive de paille, car le premier paillis utilisé était fait de paille.

> **Il empêche la germination des mauvaises herbes.**

> **Il garde le sol plus humide,** car il réduit l'évaporation ; ainsi vous avez moins à arroser.

> **Il empêche le sol de se compacter.**

> **Il garde les tiges et les feuilles propres.**

> **Il réduit la fréquence des maladies.**

> **Il réduit la fréquence des insectes et des mollusques.**

> **Il élimine l'érosion.**

> **Il enrichit le sol en se décomposant.**

> Il élimine complètement le besoin de sarcler.

> Il permet aux organismes du sol de proliférer.

Plus besoin de sarcler quand vous utilisez un paillis.

Les désavantages du paillis

Malgré mon enthousiasme sans borne pour le paillis, je dois admettre qu'il a des défauts aussi, non pas sur le plan écologique, mais en ce qui concerne la productivité du potager. En effet, comme il garde le sol plus frais, le sol se réchauffe plus lentement au printemps. Cela n'affecte pas beaucoup les légumes qui aiment la fraîcheur, comme les légumes-feuilles et les légumes-racines, mais quand vous avez hâte de planter vos tomates et vos poivrons et que le sol est toujours froid, c'est un peu décourageant. Certains jardiniers enlèvent même le paillis du potager au printemps pour que le sol se réchauffe plus vite et le remettent quand le sol a atteint la température désirée (habituellement environ 21 °C). Pour moi, enlever le paillis pour le replacer plus tard n'est qu'une tâche de plus dont je pourrais me passer : je suis prêt à attendre le temps qu'il faut pour planter et semer mes légumes-fruits. En réalité, on ne gagne que cinq jours, parfois sept. Si vous êtes vraiment pressé, essayez un paillis en plastique pour hâter la saison (voir p. 60-61).

L'autre désavantage majeur concerne les semis : ils ne peuvent germer s'ils sont couverts de paillis ! Heureusement que la solution est facile. Il suffit d'écarter le paillis de l'espace où sera fait le semis, puis de le remettre, progressivement s'il le faut, à mesure que les semis grandissent. Malheureusement, pendant que le sol dénudé est dépourvu de paillis, les mauvaises herbes peuvent y germer. Il faut donc faire un petit désherbage manuel avant de reposer le paillis. Ce sont les légumes qui germent et qui poussent lentement, comme les carottes, qui causent le plus de soucis sur ce plan : plus longtemps la terre demeure exposée, plus il y a possibilité d'invasion. Par contre, les légumes à germination et à croissance rapides, comme les haricots, grandissent si rapidement qu'on peut généralement remettre le paillis sans désherber : ils dépassent toutes les mauvaises herbes !

Que rechercher dans un paillis pour un potager ?

> **Un bon prix.** La plupart des paillis que je recommande sont gratuits !

> **Riche en éléments nutritifs.** Certains paillis ornementaux, comme les écorces de conifères, ne retournent rien ou presque au sol en se décomposant. D'autres, comme les feuilles déchiquetées, sont très riches et conviennent mieux à un potager.

> **À décomposition rapide.** C'est essentiel, car il faut toujours « nourrir » le sol en éléments nutritifs si on veut maintenir la richesse de la terre d'origine.

> **Ne dérègle pas le pH du sol.** Vous avez fait un effort pour choisir une terre à potager d'un bon niveau d'acidité pour les légumes (pH d'environ 6 à 7), pourquoi venir tout défaire avec un paillis très alcalin ou très acide ?

On pense immédiatement au paillis classique pour le potager, soit la paille elle-même, mais il est souvent difficile d'en trouver ailleurs qu'à la campagne et elle est plus coûteuse qu'on pourrait l'imaginer. Si vous pouvez en obtenir, allez-y.

Le meilleur paillis de tous est le compost, si vous pouvez en fabriquer assez. Si vous devez en acheter, préférez un compost végétal, pas parce qu'il est meilleur que les autres, mais parce qu'il est fait de ressources renouvelables, comme des feuilles d'arbres, des rognures de gazon, du bois raméal, etc.

En ville, il est difficile de trouver de la paille à utiliser comme paillis.

Les feuilles mortes font un excellent paillis aussi. Elles doivent toutefois être déchiquetées, surtout si elles sont de grande taille, sinon, primo, elles ne se décomposeront pas très rapidement, et secundo, elles s'imbriqueront les unes dans les autres pour créer une barrière qui ne laisse pas circuler l'air. On peut les déchiqueter avec une déchiqueteuse ou sous la tondeuse. Les feuilles sont plus faciles à déchiqueter quand elles sont sèches.

Les rognures de gazon font un bon paillis si on les mélange moitié-moitié avec de la tourbe («peat moss») ou des feuilles déchiquetées, sinon elles forment une masse trop dense qui repousse l'eau et l'air.

> ### DÉCHIQUETAGE AU COUPE-BORDURE
>
> Pour découper des feuilles sans déchiqueteuse, versez-les dans une poubelle en plastique et insérez-y un coupe-bordure à fil de nylon. Ouvrez-le et faites-le monter et descendre quelques fois, et les feuilles seront réduites en miettes !

On peut déchiqueter les feuilles d'automne avec un coupe-bordure.

Vous pouvez aussi utiliser comme paillis du papier journal déchiqueté ou des lambeaux de papier provenant d'une déchiqueteuse de bureau. Eh non, il n'est pas nécessaire d'enlever les pages couleur du papier journal avant de les déchiqueter : les encres riches en métaux lourds que craignent les jardiniers ont été bannies dans les années 1970.

Le bois raméal fragmenté (BRF) est composé de branches d'arbres caducs déchiquetées avec leurs feuilles. Vous devriez pouvoir en obtenir gratuitement d'un arboriculteur, de votre municipalité, d'Hydro-Québec, etc.

Les aiguilles de pin ont le désavantage d'acidifier le sol en se décomposant, mais seulement très lentement. On les utilise surtout autour des légumes vulnérables aux limaces, comme les laitues en feuilles, car les limaces ne peuvent traversent une barrière aussi piquante.

La sciure de bois et autres résidus de bois ne font pas de bons paillis pour les légumes, car ils utilisent beaucoup d'azote pour amorcer leur décomposition, un élément qu'ils volent donc aux légumes. Si vous avez une source de sciure de bois qui a passé au moins une saison à l'extérieur, exposée à la pluie, cette phase de sa décomposition sera déjà terminée et vous pourrez l'utiliser.

Application et entretien du paillis

On ne lésine pas avec le paillis dans un potager : il faut en mettre beaucoup et le remplacer à mesure qu'il disparaît… et si c'est un bon paillis, il *va* disparaître. Après tout, le dernier rôle d'un paillis est d'enrichir le sol.

Appliquez 7 à 10 cm de paillis aussitôt le potager terminé. Si vous voulez planter et semer immédiatement, vous pouvez toutefois y procéder après ces étapes. Le paillis recouvrira tout le potager, sauf là où il y a des semis qui n'ont pas encore levé (vous poserez le paillis autour des semis plus tard, quand ils seront assez hauts pour le dépasser). Contrairement à une croyance aussi tenace que ridicule, le paillis peut et *doit* toucher aux plantes qu'il protège. Il n'est *pas* nécessaire de laisser un espace libre de paillis autour de chaque plant.

Comme un paillis ne dure pas éternellement, il faut aussi surveiller son épaisseur. Le niveau critique est de 4 à 5 cm. À moins de 4 cm, la lumière peut souvent se faufiler jusqu'au sol, ce qui est une invitation ouverte à germer pour la graine de mauvaise herbe qui attend justement cette occasion. D'où la recommandation de commencer avec 7 à 10 cm de paillis : cela vous donne un peu de jeu avant de devoir en remettre.

Quand le paillis mesure moins que 4 ou 5 cm (utilisez votre index pour mesurer : 4 cm, c'est environ la longueur de votre doigt jusqu'à la deuxième phalange), rajoutez-en. N'enlevez pas l'ancien paillis ! Bien au contraire, il est encore en train de « nourrir » le sol. Vous comblez le déficit avec un paillis frais jusqu'à une épaisseur de 7 à 10 cm, voilà tout.

Maintenez toujours au moins 4 à 5 cm de paillis sur le potager, été comme hiver.

Paillez aussi les allées

Les photos de beaux potagers coquets entourés d'un gazon vert me font frissonner d'horreur : le gazon est l'un des pires envahisseurs possibles du potager. Avec ses longs stolons, il n'aura aucune difficulté à se faufiler à travers la terre, puis le paillis, pour prendre la planche surélevée d'assaut. N'oubliez pas que les paillis décomposables habituels préviennent la *germination* des mauvaises herbes, mais qu'ils sont trop légers pour empêcher leurs pousses ou leurs rhizomes de pénétrer. Entourez toujours les allées entre les rangées de couches surélevées d'un paillis impénétrable aux plantes envahissantes. Vous pouvez y placer des planches de bois, plusieurs épaisseurs de papier journal, même du géotextile. Si le résultat n'est pas

Le pourtour et les allées aussi doivent être paillés.

assez esthétique ou si le sol est souvent détrempé, recouvrez ce « paillis barrière » d'un paillis absorbant, comme de la paille, des rognures de gazon ou des feuilles déchiquetées. Quand ce paillis commence à disparaître, rajoutez-en tout simplement.

RÉALISER UN POTAGER ENCADRÉ

Nous avons déjà vu comment préparer le sol d'un potager surélevé en posant 30 cm de terre sur une couche de papier journal et en créant une marge à 45 degrés autour avec la terre. Vous n'avez pas besoin de plus. Le bord de ce potager sera cependant toujours sujet à l'affaissement, surtout avec le temps, et à l'érosion, particulièrment au début. Vous pouvez juger qu'il serait plus beau et plus propre d'encadrer votre potager surélevé pour mieux retenir la terre. Si c'est le cas, il vous faudra un matériau pour l'encadrer, d'une hauteur d'environ 30 cm.

Il est possible de réaliser de superbes potagers surélevés à l'aide d'un cadre en bois ou d'un autre matériau.

Parmi les possibilités, mentionnons les rondins, les madriers de bois d'œuvre, les madriers de bois imputrescible (thuya, pruche, séquoia), les madriers de bois plastique, les blocs de béton, les bordures de béton, les briques, etc. Évitez les divers types de bois traité. Ces produits sont tous toxiques à un degré ou à un autre : voulez-vous vraiment risquer d'empoisonner vos légumes ? Les traverses de chemin de fer traités à la créosote ne sont pas mieux : la créosote est toxique pour les plantes davantage que pour les humains !

Construction d'un cadre en bois

Sur la page suivante vous trouverez un modèle simple de cadre pour un potager surélevé fait du matériau le moins coûteux : l'épinette. Il est facile à assembler et ne demande pas d'équipement spécialisé.

MATÉRIAUX

2 planches de 2 x 12 de 3,7 m (12 pi) pour les côtés

2 planches de 2 x 12 de 1,2 m (4 pi) pour les bouts

2 traverses de 2 x 2 de 1,2 m (4 pi)

4 blocs de coin de 5 x 5 de 30 cm (1 pi)

454 g (1 lb) de clous galvanisés de 7,5 cm (3 po) ou 1 boîte de vis à patio de la même longueur

1. Formez un cadre rectangulaire dont les angles sont bien droits à l'aide des quatre planches de côté et de bout ; fixez bien les planches les unes aux autres par des clous ou des vis. Placez un bloc de bois à l'intérieur de chaque coin et fixez-le à partir de l'extérieur.

2. Marquez chaque côté à 1,2 m de chaque extrémité.

3. Insérez une traverse à l'endroit marqué, soit au tiers du cadre, et fixez-la à chacun des côtés. Elle doit arriver à égalité avec le bord extérieur de chaque côté. Fixez l'autre traverse à l'autre endroit marqué.

4. Recouvrez le sol où le cadre doit être installé de papier journal, tel qu'expliqué à la page 14. Le papier doit déborder de l'espace prévu.

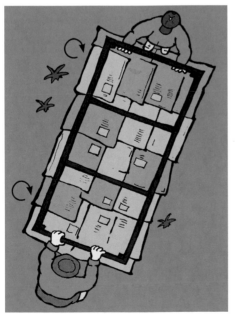

5. Avec l'aide d'un ami, retournez le cadre de façon que les traverses soient au fond et transportez-le sur le papier journal.

6. Remplissez le cadre de terre à potager (voir p. 14-15).

7. Égalisez au râteau.

Vous voilà prêt à planter ou à pailler !

L'AMÉNAGEMENT COMESTIBLE

Oubliez les cadres de bois et même les carrés et les rectangles de plantation pour l'instant. Ne serait-il pas merveilleux, plutôt que de faire un potager exclusif, de l'intégrer à l'ensemble de votre aménagement paysager ? Eh bien, c'est possible. D'ailleurs, c'est ce que je fais maintenant : il n'y a plus de jardin réservé aux légumes chez moi ; les plantes comestibles sont plutôt incorporées au paysage. J'appelle cela l'aménagement comestible.

Le potager peut s'intégrer dans la plate-bande pour créer un aménagement comestible.

Ce n'est pas difficile à réaliser, surtout si on fait une plate-bande mixte, car rien ne dit qu'un légume n'est pas une plante ornementale. D'ailleurs, la tomate fut exploitée comme plante ornementale pendant plusieurs générations avant qu'on découvre qu'elle était comestible. Une foule de légumes ont été sélectionnés pour être à la fois comestibles et ornementaux : les laitues rouges, les betteraves à feuillage pourpre, les choux blancs aux feuilles bleu-vert, etc. Et même sans « améliorer » en aucune façon leur apparence, on obtiendra un bel effet avec la plupart des légumes si on sait les utiliser convenablement. Il suffit d'arrêter de les planter en rangs et en carrés, tout simplement. Plantez-les plutôt par taches de couleur et en groupes assez grands pour faire de l'effet. Voici quelques exemples :

> Vous pouvez semer des grains de maïs à la volée dans un cercle de 30 cm, à environ 5 cm d'espacement. Les plants du centre pousseront droit vers le haut, tandis que ceux du pourtour s'arqueront vers l'extérieur, ce qui produira l'effet d'une belle grande touffe de graminées ornementales.

> Semez 7 à 15 graines de bette à carde 'Pink Passion' (voir p» 118) en rond au milieu de la plate-bande, là où vous pourrez admirer les superbes pétioles rose carmin et les grosses feuilles luisantes de cette plante.

> Un plant de rhubarbe, avec ses feuilles gigantesques et ses superbes fleurs plumeuses blanches, crée déjà une tache de couleur en soi !

Maintenant, le petit secret du jardinier paresseux pour harmoniser la plate-bande : il ne suffit pas de créer des taches de couleur, il faut les répéter. L'œil adore la répétition, et quand on voit la même plante à deux ou trois emplacements différents, notre cerveau interprète cette disposition comme de l'harmonie.

Il y a d'autres possibilités ornementales que les taches de couleur pour les légumes. Que diriez-vous d'une bordure de betteraves 'Bull's Blood' ? Le feuillage de cette plante est pourpre foncé et très luisant. Semez-la densément en marge d'une plate-bande. Quand les petites feuilles commencent à se toucher, éclaircissez pour donner plus d'espace aux plants ; c'est d'ailleurs le temps de votre première récolte, puisque le feuillage des betteraves se mange. Plus tard, au milieu de l'été, quand les feuilles pourpres commenceront encore à s'entremêler, éclaircissez une plante sur deux ; cette fois, vous aurez non seulement des feuilles à manger, mais aussi de petites betteraves très tendres. Enfin, à la fin de septembre, quand le gel menacera (et que le feuillage sera encore très beau, soit dit en passant), vous pourrez récolter de belles grosses betteraves à conserver ou à mariner.

Autre suggestion, pourquoi ne pas utiliser des légumes grimpants à bel effet ?

> Une tomate cerise grimpante peut monter jusqu'en haut d'une pergola, portant des centaines de fleurs jaunes au début de l'été et autant de jolis petits fruits rouges vers la fin de la saison.

> Le haricot d'Espagne peut monter tout seul sur un treillis, produisant des dizaines de fleurs rouge vif suivies de longues cosses vertes. À la fois les cosses et les fleurs sont comestibles.

Enfin, vous pouvez cultiver des légumes en pot pour décorer une entrée ou une terrasse… mais arrêtons-nous là, car nous empiétons sur le prochain sujet : le potager sur balcon.

Dans l'aménagement comestible, on ne distingue pas entre les légumes et les fleurs.

Avantages et désavantages de l'aménagement comestible

L'un des grands avantages de l'aménagement comestible est d'inciter davantage à éviter les monocultures, un sujet dont il a été question plus en détail à la page 23. Planter par taches de couleur nous oblige à diversifier les emplacements où cultiver un légume en particulier. Plantez 50 plants de pomme de terre tous ensemble sur trois rangs et il est certain que le doryphore de la pomme de terre va les trouver. Dispersez vos pommes de terre – d'ailleurs de très jolies plantes avec leurs belles fleurs bleu-violet ou blanches – par groupes de cinq ou six dans une vaste plate-bande et il n'est pas certain que les doryphores les dénicheront.

L'aménagement comestible est aussi une façon d'encourager les gens qui « n'ont pas d'espace pour un potager » à cultiver des légumes. De nos jours, la cour arrière de nos maisons sert souvent à des fins sociales, comme lieu de rencontres familiales ou d'endroit pour recevoir des amis, par exemple, et beaucoup de gens hésitent à y faire un potager, présumant que ce ne sera pas « beau ». Or, en incorporant des légumes et d'autres plantes comestibles dans un aménagement sophistiqué, ils pourraient à la fois épater leurs visiteurs avec leurs « produits du terroir » et les émerveiller avec un beau paysage.

Le grand désavantage de l'aménagement comestible est… qu'on doit toujours se rappeler où sont nos légumes. On finit par les considérer tellement comme une partie de l'aménagement qu'on oublie où on les avait plantés.

LE POTAGER SUR BALCON

Ou sur terrasse, perron, rebord de fenêtre, toit, aire de stationnement, etc. Il est possible de cultiver presque tous les légumes en pot, donc de pouvoir les placer où que ce soit. C'est un peu plus exigeant que la culture

Un potager sur votre balcon ? Pourquoi pas !

en pleine terre, notamment à cause des arrosages répétés, mais ces « jardins en pot » peuvent être très productifs.

Je dois admettre que le potager le plus réussi que j'aie jamais fait se trouvait sur un balcon, il y a très longtemps maintenant. Je n'aurais jamais cru qu'on pouvait produire autant en si peu d'espace… mais justement, dans un jardin sur balcon, on peut jardiner à de multiples niveaux : sur le plancher, dans des balconnières (boîtes à fleurs) fixées sur le garde-corps ou en panier suspendu au balcon supérieur, sans parler des légumes grimpants qu'on peut faire monter sur des fils ou un grillage. De plus, au quatrième étage il n'y a pas de mauvaises herbes, pas de marmottes et pas de limaces… mais curieusement et heureusement, il y a des abeilles pour polliniser. J'allais sur le balcon plusieurs fois par jour (notamment pour fuir la chaleur dans l'appartement) et je suivais donc de près le progrès des plantes, beaucoup plus que dans le lot du jardin communautaire que j'entretenais en même temps.

Avantages et désavantages du potager en contenant

J'ai énuméré certains des avantages du potager en contenant (possibilité d'un potager à étages, moins de prédateurs, surveillance accrue du jardinier), mais il y a en d'autres. Par exemple, vous n'avez pas besoin d'autres d'outils de jardinage qu'un arrosoir (ou un tuyau d'arrosage muni d'une lance, si possible, voir p. 37) : vous pouvez tout faire avec de simples ustensiles de cuisine, comme des cuillers pour creuser et des ciseaux pour tailler. Par ailleurs, les personnes handicapées peuvent fort bien entretenir un potager sur balcon si on a fixé les contenants sur le garde-corps, donc à leur niveau. Enfin, on peut commencer la saison de jardinage plus tôt (il fait généralement plus chaud sur un balcon qu'en pleine terre) et la prolonger à l'automne, car non seulement l'air froid reste-t-il au sol, mais le mur de l'immeuble dégage de la chaleur.

Un potager en contenant peut être aussi productif qu'un potager en pleine terre.

Avec la culture en pot, on peut aussi changer les légumes de place au besoin. La laitue, par exemple, aime le soleil… mais encore plus la fraîcheur. Au printemps, on peut l'exposer au plein soleil, mais quand arrivent les chaleurs de l'été, il suffit de déplacer le pot derrière d'autres plantes pour lui fournir l'ombre qui la protégera des pires canicules.

Par contre, les désavantages de la culture en contenant sont légion, à tel point que, si vous avez accès facilement et rapidement à un emplacement en pleine terre convenant à un potager, profitez-en ! L'important est de comprendre que l'entretien des plantes en pot est beaucoup plus exigeant que la culture en pleine terre. Il faut notamment une surveillance presque quotidienne, ainsi que beaucoup plus d'arrosages et de fertilisations, alors que, en pleine terre, surtout s'il pleut le moindrement, on peut pratiquement laisser un potager paillé évoluer tout seul. Transporter terreau et pots lourds jusqu'à votre balcon peut même être pénible si vous habitez dans un immeuble sans ascenseur.

Évidemment, les balcons ne sont pas tous identiques. Un balcon faisant face au nord sera rarement très productif, sauf peut-être pour les légumes-feuilles. Idéalement, le balcon fera plutôt face au sud ou à l'ouest, mais une orientation à l'est peut convenir. Le vent est un problème constant, car non seulement assèche-t-il les plantes, il peut aussi les renverser. D'où l'importance de pots de bonne taille, qui se renversent moins facilement (voir ci-dessous).

L'absence de prise d'eau sur un balcon ou un toit est un autre inconvénient majeur. Je propose des solutions à la page 37.

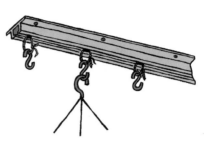

Une tringle avec galets coulissants permet de déplacer les pots suspendus à volonté.

Oui, la taille a de l'importance

Plus un pot est gros, plus il peut retenir de l'eau et moins ce qu'il contient s'assèche rapidement, car le terreau lui-même est un réservoir d'eau. Beaucoup de terreau, moins d'arrosages : c'est aussi simple que ça ! J'ai appris cette leçon avec ma première boîte à fleurs, un modèle bon marché en tôle verte de seulement 15 cm de profondeur sur 15 cm de largeur. Je devais faire au moins deux arrosages par jour, parfois trois, pour contenter ses habitants… qui n'étaient pas très heureux de toute façon. Les mêmes végétaux cultivés dans un simple seau de plastique (dans lequel j'avais percé des trous de drainage, bien sûr) réussissaient beaucoup, beaucoup mieux et ne demandaient pas d'eau plus souvent qu'une fois par semaine ! Trois fois par jour contre une fois par semaine ? Nul besoin d'être mathématicien pour comprendre lequel des deux contenants était le plus facile à entretenir !

Avec le temps j'ai appris qu'aucune des balconnières (boîtes à fleurs) de bois sur le marché n'est fonctionnelle sur un balcon, et pourtant il s'en vend beaucoup ! Elles sont toutes trop étroites et trop peu profondes. Il faut une largeur et une profondeur minimales de 20 cm pour la culture des petits légumes (haricots nains, laitues, radis, etc.) et beaucoup plus pour les légumes plus gros, comme les tomates. Seules quelques grosses balconnières en plastique satisfont à ces critères.

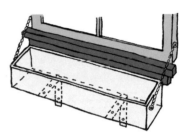

N'oubliez pas de toujours fixer une balconnière à son support, que ce soit un garde-corps ou un rebord de fenêtre. Ici, on a utilisé des équerres de 90° vissées sur le mur et sur le fond de la balconnière, plus des chaînes fixées au cadre. La boîte elle-même, de fabrication maison, mesure 20 cm de profond sur 20 cm de hauteur.

Les paniers suspendus commerciaux non plus ne sont pas très intéressants pour la culture des légumes. Ils s'assèchent trop rapidement et la soucoupe dont ils sont équipés et qui pourrait les aider à retenir plus d'eau est une honte. Elle est tellement minuscule et collée sur le panier qu'elle ne contient pratiquement rien.

Les seaux, au contraire, font d'excellents contenants pour le balcon, tout comme les bacs à fleurs et les demi-tonneaux. Ma ligne de conduite est maintenant de me procurer les pots les plus gros que je pense pouvoir manipuler. Ils sont plus petits pour le garde-corps et pour la suspension, car il faut être capable de les soulever, mais ils peuvent être énormes pour le plancher du balcon, où l'on peut les pousser au besoin.

Les gros bacs sont faciles à déplacer… si vous les mettez sur roulettes !

J'ai aussi appris que les légumes qui aiment la fraîcheur, comme la plupart des légumes-feuilles et des légumes-racines, sont plus à l'aise dans des pots blancs ou pâles où la température demeure plus fraîche, alors que les légumes qui préfèrent la chaleur préféreront les pots foncés. Et que les petits pots foncés chauffent plus (généralement trop, d'ailleurs) que les gros pots foncés.

Les pieds de pot soulèvent le pot pour qu'il ne touche pas au plancher, ce qui assure alors un excellent drainage.

Pour assurer un bon drainage

La célèbre couche de drainage de graviers ou de tessons qu'il «faut» mettre au fond des pots est un mythe. Les pots se drainent *mieux* quand le terreau est de la même texture du haut jusqu'en bas. Par contre, pour empêcher trop de terreau de sortir par le trou de drainage lors des arrosages, vous pouvez toujours poser un carré de moustiquaire sur le trou ou juste un morceau de papier journal ou de papier essuie-tout. Les trois laisseront passer les surplus d'eau, mais pas le terreau. Il *faut* quand même un trou de drainage, même deux ou trois dans les gros bacs, quitte à les percer vous-même. Si vous récupérez des contenants qui serviront de pots, une perceuse sera utile.

La meilleure façon d'assurer un bon drainage des pots est de les surélever du balcon ou de la terrasse. Quand le fond du pot repose directement sur une surface plane, les trous de drainage se bouchent et l'eau tend à s'accumuler plutôt qu'à être évacuée. Surélever le pot favorise un drainage plus rapide et empêche la formation d'une tache ronde sur la surface en dessous du pot, qui est surtout visible à la fin de la saison quand on enlève le contenant. Il se vend à cet effet des «pieds de pot», mais de simples cales de bois seront aussi efficaces.

Pour rester terre à terre

Quel terreau employer? Il se vend des terreaux plus coûteux contenant des cristaux censés retenir plus d'eau en période de surplus et la libérer en période de sécheresse. Or, je n'ai jamais vu la moindre différence dans les résultats entre ces terreaux et un simple «terreau pour plantes en pot». Finalement, tous les terreaux vendus pour la culture en pot se ressemblent passablement en matière de résultats. Je vous suggère simplement de préférer un terreau qui contient déjà des mycorhizes (voir p. 64-65), ce qui vous épargnera la tâche d'en ajouter vous-même.

Ne cultivez pas vos légumes en pot dans de la «vraie terre» prélevée dans la nature. Elle est trop lourde, se draine mal et est souvent contaminée par des insectes, des maladies et des graines de mauvaises herbes. Or, l'un des avantages du potager en contenant est justement la quasi-absence d'insectes, de maladies et de plantes nuisibles. Voulez-vous vraiment les y introduire?

Les «terres à jardin» vendues en sac ne sont pas idéales. Elles sont lourdes, souvent de piètre qualité et ont tendance à se compacter beaucoup plus en pot qu'en pleine terre.

Les terreaux modernes pour plantes en pot, à base de tourbe de sphaigne, de vermiculite et de perlite, parfois avec un ajout d'écorce décomposée, ont fait leurs preuves et sont recommandés. Comme en pleine terre, s'il y a une étape où l'on ne peut lésiner sur la qualité, c'est bien celle de l'achat de la terre qui va supporter la croissance des plantes. Vous pouvez ajouter un quart de compost végétal, pour enrichir le terreau si vous le jugez à propos.

Malgré les recommandations des fabricants, qui conseillent de remplacer votre terreau chaque année, sans doute parce qu'ils veulent vous obliger à acheter plus de terreau, vous pouvez utiliser le même terreau d'une année à l'autre en rajoutant un peu de compost tous les ans pour compenser le compactage qui suit la décomposition de la tourbe dans le mélange. Si par contre vous notez des problèmes de maladie, déposez le terreau dans la nature, nettoyez bien le contenant à l'eau de Javel et recommencez avec un terreau frais l'année suivante.

Planter en pot

Vous pouvez planter un seul type de légume par pot ou faire des mélanges, à votre guise. Dans de gros bacs, les plantations en mélange donnent un très bel effet, même quand ce sont de « simples légumes ». Arrangez vos contenants comme si c'étaient des bacs à fleurs, soit avec un grand légume (maïs, tomate, etc.) au centre, des légumes au port retombant (concombres, patate douce, etc.) sur le bord, et des plantes de hauteur moyenne (laitues, betteraves, etc.). entre les deux, si bien sûr il y a suffisamment d'espace. Et ce n'est pas un crime d'incorporer quelques plantes annuelles strictement ornementales dans votre potager en contenant.

Photo: www.jardinierparesseux.com

On peut cultiver tout légume en pot.

▶ POUR PLANTER DANS UN BAC EN BOIS:

Recouvrez l'intérieur du bac d'une feuille de plastique ou d'un sac à ordures, en pliant l'excédent vers l'intérieur pour le dissimuler. Percez des trous de drainage dans le plastique du fond.

Remplissez le bac de terreau contenant des mycorhizes, mélangez-y un engrais biologique à dissolution lente et humidifiez.

Repiquez ou semez les légumes selon les mêmes principes de plantation que pour un bac à fleurs, avec une plante-vedette, des plantes retombantes et, s'il y a de place, des plantes « de remplissage ».

Arrosez bien… et laissez votre « potager en bac » pousser !

Laissez toujours une « cuvette d'arrosage » d'environ 2 à 4 cm au sommet du pot. Ainsi pourrez-vous verser l'eau dans le pot sans qu'il se renverse.

En passant, il vaut mieux ne pas utiliser de bois traité pour fabriquer un contenant pour la culture des légumes, ni traiter un contenant en bois avec un produit de protection si vous avez l'intention d'y cultiver des légumes : la plupart de ces produits ont des propriétés toxiques auxquelles vous ne voudriez pas risquer d'exposer vos plantes ou votre famille quand elle consommera les légumes produits. Pour aider à les conserver quand même le plus longtemps possible, tapissez leur intérieur d'une feuille ou d'un sac de plastique avant la plantation. Il faut quand même percer des trous dans le plastique, vis-à-vis des trous de drainage du contenant.

Quant aux techniques de plantation et de semis en pot, elles sont identiques à celles de la plantation en pleine terre (voir p. 76) avec une exception : le terreau en sac est très, très sec et tend à repousser l'eau d'arrosage quand on l'applique plutôt que de l'absorber. Après avoir versé le terreau dans le contenant, et avant de planter ou de semer, arrosez bien le terreau, brassez avec une cuiller de bois pour faire pénétrer l'eau, puis répétez au besoin jusqu'à ce que le terreau soit bien imbibé. C'est seulement quand vous serez certain que le terreau est également humide partout, sans poches de terreau sec, que vous pourrez procéder à la plantation ou au semis. Il est souvent pratique d'arroser le terreau la veille et de planter le lendemain ; ainsi l'eau a-t-elle le temps de pénétrer dans le terreau très également.

Arrosage des légumes en contenant

Le but de l'arrosage des légumes en contenant est le même que celui de l'arrosage en pleine terre (voir p. 70-72) : maintenir le terreau toujours un peu humide. La différence est que les terreaux en pot sèchent beaucoup plus rapidement que la terre de jardin. Il y a quatre raisons principales pour cette demande accrue :

> Il y a moins d'espace pour les racines dans un pot. Contrariées dans leurs efforts pour s'étendre loin de la plante, elles sont plus courtes mais requièrent autant d'eau. Ainsi elles assèchent le terreau plus rapidement. De plus, la terre elle-même constitue une réserve d'eau ; or, on peut difficilement égaler en contenant la masse de terre d'un potager en pleine terre. Sa réserve d'eau est donc nécessairement moindre.

> La plus grande exposition au vent et à l'air en mouvement sur un balcon fait perdre plus d'eau à la plante par transpiration, perte qu'il faut compenser par des arrosages.

> Il fait plus chaud en pot qu'en pleine terre, car les pots sont réchauffés par le soleil ; il y a donc plus d'évaporation et de transpiration.

> Enfin, il tombe habituellement moins de pluie dans un pot sur un balcon, non seulement parce qu'il y a souvent un autre balcon ou un toit par-dessus, mais aussi parce la pluie tombe obliquement en général et que l'immeuble la bloque en partie. Cela oblige souvent à arroser les contenants même quand il pleut abondamment.

Il faut donc arroser souvent. J'ai déjà mentionné (voir p. 33) que plus un pot est large et profond, moins il demande d'arrosages, et c'est là le truc le plus important pour réduire l'effort à mettre dans l'entretien des pots : ne jardinez que dans de gros pots et le travail sera beaucoup moindre.

La seule façon logique de savoir si un pot a besoin d'arrosage est d'y insérer un doigt pour vérifier. Si le terreau est sec au toucher, on arrose abondamment. N'attendez pas que les feuilles se flétrissent avant d'arroser, car cela indiquerait que la plante souffre d'un stress hydrique, lequel peut non seulement réduire sa production, mais même altérer le goût des légumes.

Pour arroser pendant une absence qui peut durer jusqu'à une semaine, percez le capuchon d'une bouteille d'eau gazeuse d'un trou de la taille d'une pointe d'épingle, juste assez pour que l'eau puisse s'y écouler lentement, une goutte à la fois. Remplissez la bouteille d'eau et enfoncez-la à l'envers dans le terreau. Il peut falloir une deuxième bouteille pour des contenants de grande taille.

L'outil habituel pour arroser les plantes en pot est l'arrosoir. Mais comme il contient peu d'eau, plusieurs allers-retours au robinet, qui est rarement tout près, seront nécessaires pour arroser un véritable potager sur le balcon. Il peut alors être très pratique d'installer un tuyau d'arrosage qui ira jusqu'au balcon et qui pourra rester en place entre les arrosages. Mais il y a rarement une façon élégante de cacher un tuyau d'arrosage qui court le long d'un appartement ! Parfois on peut le passer à l'extérieur via la fenêtre de la cuisine. Le compromis est de garder le tuyau enroulé sous l'évier de la cuisine et d'aller le chercher chaque fois qu'on arrose : c'est quand même moins d'effort que de faire de nombreux allers-retours avec un arrosoir ! Ce problème ne se pose habituellement que pour les balcons : il est habituellement plus facile d'amener un tuyau d'eau à potager sur une terrasse ou même sur un toit et l'y laisser durant tout l'été.

Préférez une longue lance d'arrosage pour l'arrosage sur balcon, car elle permet d'arroser les paniers suspendus sans peine.

Évidemment, si vous utilisez un tuyau d'arrosage, il vous faudra aussi une lance d'arrosage pour contrôler le débit d'eau et interrompre le jet rapidement. Un modèle à débit réglable, de jet fort à pluie fine, est bien pratique.

Si vous pouvez conduire un tuyau d'arrosage jusqu'au balcon (ou dans tout autre endroit où vous pratiquez la culture en contenant), il peut être intéressant d'installer un système d'irrigation qui facilitera et même automatisera la corvée de l'arrosage. Si, pour la culture en pleine terre, c'est le tuyau poreux (tuyau suintant) qui est la méthode la plus pratique, pour la culture en contenant, c'est le goutte-à-goutte.

Il s'agit de faire courir un tuyau principal du robinet jusqu'aux contenants (ou un tuyau d'arrosage relié au tuyau principal). Ensuite on fixe sur ce tuyau, à proximité des pots, une série de tuyaux plus minces, appelés « tuyaux spaghettis », au moins un pour chaque pot. Après en avoir fixé l'extrémité sur

Avec l'irrigation goutte-à-goutte, il est possible d'arroser tous vos contenants en même temps.

le pot, on y assujettit un goutteur qui permet de contrôler le débit d'eau. En ajoutant une minuterie programmable pour ouvrir et fermer l'eau automatiquement, on peut arriver à régler l'arrosage durant tout l'été. Ou presque. En effet, il vaut la peine de vérifier le système à mesure que les plantes grossissent et de modifier occasionnellement le minutage de l'arrosage, quitte à mettre des goutteurs à plus gros débit dans les pots qui en ont besoin. Il reste quand même qu'il est possible d'arroser avec très peu d'efforts grâce à un système d'irrigation goutte-à-goutte.

Notez que les systèmes goutte-à-goutte, contrairement aux tuyaux poreux, résistent mal à l'hiver. Mieux vaut les démonter et les remiser à l'intérieur pour l'hiver.

Pour plus de renseignements sur les systèmes d'irrigation pour les pots, je vous suggère de consulter *Le jardinier paresseux: Pots et jardinières,* chez le même éditeur.

On peut même arroser les paniers suspendus avec un système d'irrigation goutte-à-goutte.

Fertilisation du potager en contenant

Il ne faut pas sous-estimer les besoins en éléments nutritifs des plantes en contenant. Le fait même d'arroser plus souvent lessive le terreau de ses éléments nutritifs, qui étaient rarement très abondants pour commencer (les terreaux pour la culture en pot sont généralement à base de tourbe de sphaigne, un produit très peu riche en éléments nutritifs). De plus, la décomposition des paillis ou des composts qui fertilisent si efficacement les légumes en pleine terre se déroule à pas de tortue dans un pot. Il faut alors compenser par de l'engrais. Je vous suggère de lire la section sur les engrais aux pages 47-51. Tout ce qu'on y dit s'applique à la culture en pot, sauf qu'il faut augmenter les doses et la fréquence de fertilisation.

Je suggère d'incorporer un engrais biologique à dégagement lent dans le terreau à la plantation, à chaque printemps, selon les recommandations du fabricant. Un engrais tout usage suffit amplement, mais un engrais à tomates contient aussi la plupart des oligoéléments nécessaires.

Mais cet engrais est rarement suffisant, notamment pour les légumes-fruits si gourmands. Prenez l'habitude de vaporiser sur le feuillage un engrais d'algues ou une émulsion de poisson aux deux semaines, selon les recommandations du fabricant, pour compenser toute déficience en éléments nutritifs. Les plantes absorbent mieux les engrais par leurs feuilles que par leurs racines. Ces deux engrais sont très complets et contiennent tous les minéraux et oligoéléments dont une plante peut avoir besoin. Vous constaterez cependant que l'émulsion de poisson, même désodorisée, dégage une odeur un peu désagréable.

Quels légumes cultiver en pot?

Vous pouvez cultiver en pot presque tous les légumes traditionnels, à l'exception des légumes qui sont réellement très gros, comme la rhubarbe, l'asperge et la citrouille. Vous pouvez même cultiver du maïs en pot, à condition de le polliniser vous-même. Il existe par ailleurs des cultivars de certains légumes, notamment la tomate et le concombre, qui ont été développés expressément pour la culture en pot.

Pour bien des légumes, il est plus pratique de choisir des variétés naines, car l'espace est très limité. Notez que les carottes ont besoin d'une terre presque deux fois plus profonde que la longueur de la carotte à maturité ; pour des carottes de 30 cm de long, il faut un pot d'au moins 50 cm de profondeur ! Les mini-carottes conviennent donc mieux.

L'exception à la règle du « small is beautiful » pour la culture en pot est le haricot. Préférez les grands haricots à rames aux haricots nains : ils demandent peu d'espace horizontal et vous pouvez les faire grimper là où vous voulez sur des fils ou d'autres supports. De plus, ils produisent beaucoup plus de haricots sur une plus longue période que les variétés naines.

UN POTAGER À L'INTÉRIEUR ?

Malheureusement, il n'est pas très facile de cultiver des légumes dans la maison, car la luminosité y est trop faible. Il faut presque disposer d'un éclairage très intense, de type haute densité de décharge, mais non seulement les lampes coûtent très cher à acheter et à faire fonctionner, elles sont tellement intenses qu'elles sont impensables dans une pièce habitée. Il reste la possibilité de cultiver les légumes dans une pièce réservée exclusivement à leur culture, comme un sous-sol ou un grenier, et il y a des gens qui le font, notamment en hydroponie. Même là, c'est tout un défi : les lampes assèchent et réchauffent l'air, d'où le besoin d'humidifier et de climatiser la pièce, il y a souvent de gros problèmes d'insectes et de carences en éléments nutritifs, etc. Tout cela pour quelques tomates ou laitues à croquer durant l'hiver ? C'est un peu trop compliqué et coûteux pour le commun des jardiniers.

Vous pouvez toutefois cultiver des légumes-feuilles dans la maison pendant de très courtes périodes, selon les deux méthodes suivantes :

> Vous pouvez semer des légumes-feuilles sur des plateaux placés sous une lampe fluorescente ou devant une fenêtre ensoleillée pour les récolter quelques semaines plus tard, quand les feuilles auront environ 8 cm de longueur. Si vous les laissez plus longtemps, elles tendront à s'étioler et à s'affaiblir. Les légumes préconisés sont surtout la laitue et d'autres salades (chicorée, endive, roquette, mâche, cresson, etc.), ou ce mélange de salades que l'on appelle « mesclun ». Pour avoir toujours un peu de salade à vous mettre sous la dent, semez un petit plateau aux deux semaines environ. Vous devrez peut-être faire votre culture « en serre » si l'air est très sec… mais cette serre peut tout simplement être faite d'un sac de plastique transparent comme ceux qui recouvrent les vêtements que l'on rapporte du nettoyeur.

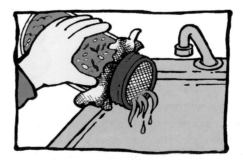

Pour faire des germes, faites tremper des graines toute la nuit.

Le lendemain, videz l'eau, rincez deux fois, videz de nouveau… et rincez le jour et le soir jusqu'à ce que les germes soient prêts.

> Vous pouvez aussi produire des germes dans la maison, exactement comme les fèves germées et les germes de luzerne que l'on offre en épicerie. La méthode pour produire des germes est des plus simples. Versez dans un bocal de type Mason quelques cuillerées de graines comestibles (tournesol décortiqué, maïs, blé, haricots mungo, radis, luzerne, lentilles, sarrasin, cresson, pour n'en mentionner que quelques-unes). Remplissez le bocal d'eau aux trois quarts et fixez par-dessus un carré de moustiquaire ou un vieux bas de nylon, tenu en place par l'anneau du pot. Faites tremper toute une nuit. Le lendemain, videz le pot de son eau (conservez-la pour arroser vos plantes d'intérieur), puis remplissez et videz le pot deux fois pour rincer les graines. À partir de ce moment, rincez soir et matin jusqu'à ce que les germes produisent des pousses vert pâle, signe qu'ils sont prêts à manger. Selon la graine utilisée, le délai peut varier de deux à six jours.

MAINTENIR UN SOL DE QUALITÉ

Nous avons vu, dans *Partir de zéro… de façon paresseuse*, comment commencer un nouveau potager en utilisant une barrière de papier journal pour éliminer les mauvaises herbes et en recouvrant la barrière de bonne terre à potager. Voyons maintenant pourquoi et comment maintenir cette qualité.

Acidité et alcalinité

En jardinage, vous entendrez beaucoup parler du pH (pour potentiel hydrogène). C'est une mesure de l'acidité du sol et de son opposé, l'alcalinité.

L'échelle commence à 0 (pH extrêmement acide) et va jusqu'à 14 (pH extrêmement alcalin); 7 est neutre : ni acide, ni alcalin. Aucun sol n'a un pH de 0 ou de 14 : la gamme des pH des sols va d'environ 4 à 10… et ces extrêmes sont même mortels pour plusieurs plantes.

ÉCHELLE DE PH

PH IDÉAL : 6 À 6,9

Légèrement acide

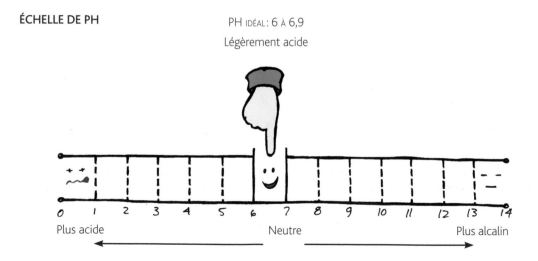

| 0 | 1 | 2 | 3 | 4 | 5 | 6 | 7 | 8 | 9 | 10 | 11 | 12 | 13 | 14 |

Plus acide   Neutre   Plus alcalin

Les légumes sont très conservateurs dans leurs préférences d'acidité et d'alcalinité. Ils aiment un pH d'environ 6 à 6,9, ce qui est la moyenne pour les végétaux en général. Certains, comme la pomme de terre, préfèrent un sol légèrement plus acide, mais ils s'accommodent d'un pH de 6 à 6,9. C'est donc un souci de moins : tous les légumes peuvent pousser dans le même sol ou à peu près.

Autre bonne nouvelle : si vous avez acheté une terre à potager, elle a déjà été équilibrée à un pH d'environ 6 à 6,9, donc vous n'avez pas besoin de vous inquiéter de ce détail. De plus, elle va probablement rester à peu près à ce pH pendant au moins quatre à cinq ans, à moins que vous ayez ajouté un produit qui rend le sol plus acide, comme un engrais de synthèse, de la tourbe de sphaigne ou du soufre, ou plus alcalin, comme de la chaux ou des cendres. Après deux ou trois ans, il peut y avoir un changement graduel dans le pH, qui s'accélérera à partir de la quatrième ou la cinquième année.

Pourquoi ? Dans les sols où l'on utilise beaucoup d'engrais de synthèse riches en azote, très acidifiants, on comprend plus facilement qu'un sol devienne acide, mais dans un potager biologique, on n'utilise pas ces engrais. Quelle est donc la cause principale de l'acidification des sols biologiques ? Non, ce ne sont pas les pluies acides. En fait, le changement vient du sous-sol et, au-delà du sous-sol, de la roche-mère, qui peut être proche de la surface ou enfouie à 2 m ou plus. Peu importe où elle se situe, elle tend à convertir toute terre à sa portée à son pH. Donc, si votre roche-mère est naturellement acide, le sol de votre potager aura tendance à s'acidifier avec le temps (c'est le cas dans la plupart des régions du Québec). Si votre roche-mère est par contre alcaline, le pH ira dans ce sens.

Si vous avez commencé comme il se doit, avec une bonne terre à potager, il ne sera pas nécessaire de vérifier le pH avant quatre ou cinq ans. Par la suite, il est sage de faire faire une analyse tous les quatre à cinq ans.

L'analyse de sol

Une analyse de sol est comme un bilan de santé pour le sol. Elle vérifie son pH et son degré de fertilité. Ainsi vous saurez ce qui se passe dans votre sol et vous aurez une très bonne idée de ce qu'il faut faire pour maintenir sa qualité ou l'améliorer.

On peut faire faire une analyse de sol en toute période de l'année, mais toujours avant de faire des applications de matière organique ou d'engrais pour ne pas fausser les résultats. L'automne est souvent préférable, car certains amendements, comme la chaux, prennent du temps avant de réagir. Si on fait faire l'analyse au début de l'automne, on aura le temps d'appliquer les correctifs recommandés la même saison de façon à ce que ses effets agissent durant l'hiver. Ainsi, au moment des semis et des plantations printanières, le sol sera en parfait état. Si vous appliquez les mesures correctives au printemps, il est possible que vous n'observiez aucun résultat avant le deuxième été.

Il existe des trousses d'analyse de sol à faire soi-même à la maison. Je les déconseille, à moins que ce ne soit pour obtenir une idée vague de la situation. C'est que le sol est un milieu très complexe avec beaucoup d'intervenants et que vous ne pouvez faire les correctifs appropriés sans les connaître tous. Or, l'analyse maison, quand vous savez l'interpréter, ne vous donne que quelques éléments. Si, par exemple, le test indique que votre sol est trop alcalin, quel produit devrez-vous utiliser pour l'acidifier ? Et en quelle quantité ? Et à quelle fréquence ? Votre analyse maison ne vous le dira pas.

Une vraie analyse de sol se fait en laboratoire, par des techniciens spécialisés. La plupart des jardineries et des coopératives agricoles offrent un tel service, et mêmes certaines quincailleries… mais c'est à vous de le demander. Car une analyse en laboratoire n'est pas un produit qu'on peut emballer et mettre sur un présentoir ! Allez en jardinerie et renseignez-vous. Et au moment propice, apportez le sac ou le contenant d'échantillonnage chez vous.

Comment prélever un échantillon de terre

1. Nettoyez bien et rincez un transplantoir. Il ne faut pas qu'il y ait des résidus sur l'outil (le savon, par exemple, est très alcalin).

2. Dans l'emplacement choisi, écartez le paillis et creusez un petit trou de 10 à 15 cm de profondeur.

3. Prélevez quelques cuillerées de terre au fond du trou en prenant soin de rejeter toute pierre ou débris. Ne touchez pas à la terre avec vos mains, car cela aussi pourrait fausser le résultat.

4. Déposez l'échantillon dans le sac ou le contenant.

5. Répétez l'opération trois ou quatre fois dans différents endroits du potager pour avoir un échantillon représentatif, puis mélangez bien.

6. Remplissez le formulaire qui accompagne le sac ou le contenant d'échantillonnage. Il est surtout important de noter que l'analyse s'applique à un sol de potager biologique, sinon on va vous recommander des produits de synthèse.

7. Rapportez l'échantillon au magasin. On vous téléphonera quand l'analyse sera prête.

À quoi vous attendre d'une analyse ?

On vous remettra une feuille détaillant non seulement les résultats de l'analyse, mais formulant aussi des recommandations. Les résultats vous indiqueront le pH du sol, sa teneur en azote, en phosphore assimilable et en potassium échangeable, ainsi que sa granulométrie (qui aidera à déterminer quelle quantité de matière organique ajouter). Il y aura aussi des recommandations de traitements à appliquer, par exemple ajouter des amendements et, dans ce cas, quelle quantité. Si votre sol est très déséquilibré, on vous proposera souvent des traitements à étaler sur deux ans pour ne pas perturber les organismes bénéfiques du sol.

Comment corriger le pH du sol

Fréquemment l'analyse indiquera que le pH de votre sol est trop acide ; un sol trop alcalin est plus rare. Si on vous recommande d'appliquer de la chaux ou un autre produit alcalinisant pour corriger un sol trop acide, ou encore du soufre ou un autre produit acidifiant pour un sol trop alcalin, vous n'avez qu'à le faire selon les recommandations.

Produits pour acidifier un sol trop alcalin

> Le **soufre** : ce produit, réduit en poudre, permet d'abaisser l'acidité du sol assez rapidement. Quand même, il vaut mieux l'appliquer à l'automne ou très tôt au printemps pour profiter de ses effets la première année. L'effet n'est pas très durable, cependant. Souvent on applique à la fois du soufre et de la matière organique (tourbe, compost, aiguilles de pin, etc.) pour obtenir un résultat à la fois rapide et durable.

> La **tourbe de sphaigne** (mousse de tourbe ou « peat moss ») : elle tarde à réagir avec le sol et ne donnera pas beaucoup de résultats la première année, mais au moins les effets dureront longtemps. Si votre sol est naturellement alcalin, il pourra être nécessaire d'en appliquer tous les ans pour maintenir un bon équilibre.

> Les **aiguilles de conifères** et les **feuilles de chêne déchiquetées** : mêmes remarques que pour la tourbe de sphaigne.

> Le **compost** : en fait, il n'est pas vraiment acide mais plutôt neutre. Par contre, il peut aider à ramener un pH très alcalin vers la normalité. Surtout, il sert à rehausser le taux de matière organique, généralement très bas dans les sols calcaires, vers le niveau désiré de 5 %.

Produits pour alcaliniser un sol acide

> La **chaux agricole** : il agit de calcaire broyé (carbonate de calcium). Elle est très lente à agir (appliquez-la de préférence à l'automne ou très tôt au printemps), mais elle est très durable. Mieux vaut corriger les sols très acides sur plusieurs années avec ce produit.

> La **chaux dolomitique** : c'est aussi du carbonate de calcium, mais avec une portion de carbonate de magnésium. C'est la forme de chaux la plus populaire dans nos régions, car le magnésium tend à manquer dans nos sols de toute façon. D'une pierre deux coups ! Elle coûte cependant plus cher que la chaux horticole. On s'en sert de la même façon.

> Les **cendres de bois** : il s'agit d'un déchet de foyer qu'on peut recycler comme amendement calcaire. Les cendres sont riches en éléments nutritifs, notamment en calcium, phosphore et potassium, mais… elles sont aussi très alcalines, au point qu'elles peuvent brûler les racines si elles entrent en contact direct avec celles-ci. On peut les utiliser, très diluées, pour aider à corriger un sol naturellement acide. Il y a deux façons de les appliquer. La méthode traditionnelle consiste à les appliquer sur la neige l'hiver ; ainsi, quand la neige fondra, elles seront naturellement diluées. L'autre méthode consiste à les ajouter au composteur où elles aideront à enrichir le compost et à produire un compost plus alcalin ; solution intéressante quand le sol est naturellement acide. Ne brûlez pas et n'utilisez pas de cendres de bois traité ou peint qui peuvent contenir des toxines. Évitez les cendres de briquettes pour barbecue.

> Le **compost maison** : il est souvent neutre ou légèrement alcalin. En rajouter régulièrement à un sol naturellement acide peut aider à maintenir un pH très équilibré. Remarquez cependant que les fabricants modifient le pH des composts commerciaux avant la vente pour qu'ils soient légèrement acides, soit à un pH de 6 à 6,9. Il en faut donc plus pour corriger un sol très acide.

Comment appliquer les produits acidifiants et alcalinisants

Traditionnellement, on suggère de les faire pénétrer dans le sol, ce qui est néfaste à la fois au sol et aux organismes bénéfiques du sol. Sachez cependant qu'ils descendront dans le sol même si vous ne les mélangez pas. Appliquez donc les amendements sur le paillis et arrosez bien pour qu'ils puissent commencer à pénétrer dans le sol.

Minéraux et matière organique

La terre à potager que vous avez achetée était, à l'origine, bien structurée et spongieuse, ses particules fines étant liées pour former des agrégats plus gros qui laissaient de l'espace pour la circulation de l'eau, de l'air et des racines. L'un des liants qui permettent cette texture merveilleuse est l'humus qui provient de la matière organique. Mais l'humus disparaît peu à peu d'un sol si on ne rajoute pas de matière organique. Pour maintenir une belle structure spongieuse, il faut trouver le moyen de maintenir au moins 3 %, et de préférence 5 %, de matière organique.

Au début, quand vous avez apporté de la terre sur l'emplacement de votre nouveau potager, elle était riche en minéraux et en matière organique. Mais c'est dans la nature même de la matière organique de se décomposer avec le temps et dans celle des minéraux d'être absorbés par les végétaux. Par contre, les végétaux mourront et retourneront au sol ce qu'ils en avaient retiré. Ainsi, en théorie, un sol non dérangé devrait toujours être aussi riche en minéraux et en matière organique. C'est ça, l'équilibre de la nature.

Comment donc votre sol est-il devenu moins riche en éléments nutritifs et en matière organique avec le temps ? Le problème vient du jardinier. C'est qu'il *récolte* les légumes et nettoie les feuilles tombées plutôt que de les laisser mourir et se décomposer sur place. Autrement dit, c'est lui qui vole la richesse du sol. S'il veut le garder en bon état, il doit donc remplacer ce qu'il a enlevé. Pensez à la terre de votre potager comme à un compte de banque : si vous ne faites que des retraits (récoltes de légumes) sans jamais faire de dépôts (ajouts d'éléments nutritifs et de matière organique), vous serez vite dans le rouge. Mais si vous faites des dépôts régulièrement, vous pourrez continuer de faire des retraits. Ainsi va la vie, à la banque comme au jardin !

Pour renflouer le compte de votre potager, vous avez deux sources principales de matière organique et d'éléments nutritifs : les amendements et les engrais.

UN LÉGUME, QU'EST-CE ÇA MANGE LE MATIN ?

Je trouve un peu triste de réduire la merveilleuse symbiose entre la nature et les plantes à des termes de chimie, mais c'est utile pour se comprendre. Il faut d'abord savoir que les légumes « mangent » en fait… du soleil ! C'est l'énergie solaire qui permet la photosynthèse que les végétaux utilisent pour produire des glucides (sucres et hydrates de carbone) en utilisant de l'eau et du gaz carbonique. Et la photosynthèse est la base, directement (pour les plantes) ou indirectement (pour nous qui mangeons les plantes), de presque toute la vie sur la planète Terre.

Mais en plus du soleil, de l'eau et du gaz carbonique, il faut aussi aux plantes des minéraux (aussi appelés éléments nutritifs), non seulement pour la photosynthèse, mais aussi pour leur croissance. Ces éléments nutritifs, les plantes n'en ont besoin qu'en petites quantités… petites, oui, mais vitales. Pour faire une comparaison avec les humains, le soleil est la nourriture des plantes, alors que les éléments nutritifs sont leurs vitamines : essentielles, mais à doses très petites. En excès, les éléments nutritifs sont aussi toxiques pour les plantes qu'avaler des poignées de vitamines peut l'être pour les humains. Il faut savoir bien les doser.

Parmi les éléments nutritifs que les plantes utilisent pour leur croissance, six sont en vedette. On les appelle les **éléments majeurs**. Trois, le carbone, l'hydrogène et l'oxygène, sont abondamment disponibles dans l'eau et dans l'air, et on n'a normalement pas besoin d'en tenir compte : les plantes les obtiennent sans effort particulier. Les trois autres sont l'azote, le phosphore et le potassium. Ces trois éléments sont ceux qui sont indiqués sur l'emballage des engrais sous forme de chiffres. Le premier est toujours l'azote (N), le deuxième, le phosphore (P), et le troisième, le potassium (K), d'où le célèbre « N-P-K » des jardiniers. Les chiffres indiquent une proportion. Un engrais 4-6-12 contient donc 4 % d'azote, 6 % de phosphore et 12 % de potassium.

L'**azote** (N) sert surtout à la croissance verte des plantes. C'est l'élément le plus volatil du sol et c'est celui qui manque le plus facilement. Il faut toujours rajouter de l'azote, sous une forme ou une autre, à tous les sols.

Le **phosphore** (P) est censé servir surtout au développement des racines et à la floraison. Il est souvent présent en abondance dans le sol, mais sous des formes peu solubles. Donc, aussi curieux que cela puisse paraître, une plante peut manquer de phosphore même quand il y a en tout autour d'elle.

Le **potassium** (K) aussi est souvent disponible dans le sol, mais pas toujours sous une forme que les plantes peuvent utiliser. On dit qu'il sert surtout à favoriser l'accumulation des réserves, notamment dans les tubercules et les fruits, ainsi qu'à augmenter la résistance au froid. Souvent on constate un taux assez élevé de phosphore dans les engrais à tomate.

Cela dit, je ne suis pas un fervent adepte du N-P-K . D'accord, les plantes ont besoin de ces trois éléments, mais il ne faut pas exagérer. Les trois éléments sont déjà présents dans la plupart des sols et, surtout, en concentrations plus importantes dans la plupart des amendements organiques. Je ne vois donc aucune raison d'embarquer dans une campagne de fertilisation N-P-K à outrance quand on peut suppléer au moyen d'ajouts de matière organique.

En plus de ces six éléments majeurs, il y a les **éléments importants,** soit le magnésium, le calcium et le soufre. Les plantes en ont besoin, certes, mais à un moindre degré que les éléments majeurs. Souvent ils sont déjà présents dans le sol d'origine et certainement dans les amendements organiques.

Enfin, il y a les **oligo-éléments** (éléments mineurs), que les plantes utilisent en infimes quantités. Ce groupe comprend le fer, le zinc, le bore, le manganèse, le molybdène, le cuivre et l'aluminium, et peut-être plusieurs autres (certains prétendent qu'il y en a beaucoup plus, jusqu'à une centaine). Encore là, ils sont déjà présents dans la plupart des sols, sinon dans les amendements qu'on y ajoute. Par contre, si la plante manque de l'un de ces éléments, sa croissance et sa production s'en ressentiront, tout comme nous aurions un problème si nous manquions de vitamine A ou D.

Quand un minéral manque, on parle d'une **carence**. Il y a des symptômes différents pour chaque carence et pour chaque plante. Chaque végétal, en effet, réagit à sa façon à un manque de chaque élément. On peut cependant soupçonner une carence quand on observe une croissance ralentie ou rabougrie, le jaunissement ou le rougissement des feuilles, ou des feuilles déformées. Ces symptômes peuvent toutefois être attribuables à des maladies, à des insectes ou même à des problèmes physiques, comme la sécheresse. La solution la plus facile quand on soupçonne une carence est d'appliquer un engrais complet, c'est-à-dire qui comprend tous les éléments et oligo-éléments. Notez bien enfin qu'on relève très rarement des carences de quelque sorte que ce soit quand on jardine selon les préceptes du RESPECT (voir p. 8).

Engrais vs amendements organiques

Un engrais est un concentré d'éléments nutritifs pouvant aller jusqu'à des concentrations de 30-30-30, donc 30 % d'azote, 30 % de phosphore et 30 % de potassium, soit un mélange composé presque entièrement de minéraux. Il fournit aux plantes ce qu'il leur faut en éléments nutritifs pour une bonne croissance. Ainsi, si on a appliqué un engrais, on ne devrait plus avoir besoin d'ajouter des amendements organiques, qui sont eux aussi une source d'éléments nutritifs, mais beaucoup plus dilués ; leur teneur en minéraux est généralement moindre que 1-1-1. Y aurait-il donc dédoublement à ajouter à la fois des engrais et des amendements organiques ? C'est ce que l'on pourrait penser, mais si on n'utilise que des engrais de synthèse pour enrichir le sol, on a tôt fait de découvrir que :

Il existe une vaste gamme d'engrais sur le marché.

> **la texture du sol passe de riche, spongieuse et humifère à pauvre, dur et minéralisée, et sa coloration de noire à grise ;**

> **les plantes ne poussent plus avec vigueur (ce qui incite souvent les jardiniers à leur donner plus d'engrais, empirant la situation) ;**

> **les plantes deviennent très sensibles à la sécheresse ;**

> **les plantes sont plus fréquemment infestées d'insectes ;**

> **les plantes tendent à souffrir de carences ;**

> **les cours d'eau des environs et la nappe phréatique deviennent pollués d'engrais superflus.**

En effet, sans matière organique, le sol ne retient pas les éléments nutritifs qu'on lui donne. Ils coulent à travers les particules de terre comme à travers une passoire. Les racines des plantes en captent une partie, mais le reste est perdu dans l'environnement. Il faut alors appliquer de l'engrais encore plus concentré et plus souvent dans l'espoir que les plantes réussiront à absorber suffisamment d'éléments nutritifs au passage.

On sait maintenant que ce sont les matières organiques dans le sol qui lui permettent de retenir l'eau et les éléments fertilisants, lesquels autrement seraient perdus par lessivage, et que les plantes peuvent très bien se contenter d'éléments nutritifs moins concentrés du moment qu'ils sont disponibles au bon moment. La matière organique libère ses éléments nutritifs peu à peu. Elle contribue aussi à maintenir la structure du sol, améliorant sa consistance, sa rétention d'eau et sa granulométrie. L'engrais, de son côté, ne fournit que des éléments nutritifs. On peut donc jardiner sans engrais… mais difficilement sans matière organique.

Je propose d'inverser la vapeur, d'utiliser *surtout* de la matière organique pour maintenir la qualité du sol et très peu, ou pas du tout, d'engrais. Et la source de la matière organique, ce sont les amendements.

Les amendements organiques

Les amendements organiques sont des ajouts que l'on fait au sol pour en améliorer la qualité. Comme ils sont plus riches en matière organique qu'en éléments nutritifs, on ne peut les considérer comme des engrais. Par contre, ils contiennent suffisamment d'éléments nutritifs pour répondre aux besoins des plantes. Donc, ils « nourrissent » les plantes, en plus d'améliorer et de maintenir la qualité du sol. Il est très possible de jardiner sans engrais, mais difficile sans amendements.

Le paillis

D'accord, le paillis n'est pas un amendement organique comme tel, mais il *devient* un amendement quand il se décompose (on peut alors l'assimiler au compost – voir ci-dessous). Il vaut la peine de le souligner ici, parce qu'un potager de jardinier paresseux est abondamment paillé ; il est donc abondamment nourri en matière organique et en éléments nutritifs. Souvent c'est le seul « engrais » dont vous aurez besoin.

Le compost

Le compost est le résultat de la décomposition de matières végétales ou animales. Un compost mature (ou compost vieux) est tellement bien décomposé qu'on ne peut même pas distinguer ses ingrédients d'origine : c'est de l'humus, voilà tout. Il est très complet, contenant tous les éléments (majeurs, importants et mineurs). Il est facile d'en fabriquer, mais on peut en acheter. Il existe beaucoup de composts commerciaux, qui, en général, s'équivalent. On peut en appliquer en lieu et place d'un paillis, on encore en déposer sur le paillis où les vers de terre et autres organismes du sol, aidés par la pluie, s'occuperont de le faire pénétrer dans le sol.

Le compost jeune est un compost maison incomplètement décomposé où les matières originelles sont encore visibles. Si on en mélange avec le sol, il peut brûler les racines des légumes. On l'applique plutôt comme si c'était du paillis et il achève sa décomposition sur place. Comme il réchauffe un peu le sol, on l'utilise sur les plantes qui aiment un sol riche et chaud, comme les tomates, les courges et le maïs. On peut aussi l'appliquer à l'automne pour que sa décomposition se termine avant le printemps.

Le vermicompost

Il s'agit des déjections de vers de terre (lombrics). Il est plus riche en éléments nutritifs que la plupart des autres amendements organiques, mais surtout il ajoute beaucoup d'humus et de micro-organismes bénéfiques au sol, améliorant grandement sa structure. Malheureusement, il est souvent trop coûteux pour qu'on l'utilise à une échelle importante. Les vers de terre dans votre potager feront le même travail et ne coûtent rien !

Le fumier

Le fumier est composé de déjections d'animaux (vache, cheval, lapin, volaille, lama, etc.) et de leur litière qui ont passé par un processus de décomposition. Il est très riche en matière organique, incluant tous les éléments majeurs et mineurs. Mais comme le fumier frais est souvent plein de graines de mauvaises herbes (notamment le crottin de cheval), il n'est pas sage d'en mettre directement dans le potager. Vous pouvez cependant en incorporer au tas de compost. Il faut toutefois vous assurer que le compost chauffe bien, ce qui détruira les semences, sinon il y aura des plantes indésirables un peu partout !

Normalement, on n'utilise directement au jardin que du fumier bien décomposé et vieux d'au moins un an, appelé *fumier vieilli*. Il n'a plus d'odeur de fumier et ressemble à du compost (ce qu'il est d'ailleurs à ce point, puisque le résultat d'un processus de décomposition s'appelle compost). Les « fumiers » vendus dans le commerce sont rarement de véritables fumiers, mais plutôt des composts comprenant, parmi leurs ingrédients, une portion de fumier vieilli. On utilise le fumier vieilli exactement comme du compost, en l'appliquant sur le paillis ou au lieu de celui-ci.

La tourbe de sphaigne

Ce produit est plus connu sous les noms de « peat moss » ou « mousse de tourbe ». C'est un produit naturel et lentement renouvelable récolté dans les tourbières, qui résulte de la décomposition partielle de mousse de sphaigne, une mousse à fibres longues courante dans les milieux détrempés. Elle sert à améliorer la qualité des sols argileux ou sablonneux par un ajout massif de matière organique. Par contre, la tourbe est très faible en éléments nutritifs et aussi très acide. Elle est donc d'intérêt très limité si vous suivez la méthode du jardinier paresseux et avez importé, dès le départ, un sol de qualité. Elle ne fait pas non plus un bon paillis, car elle tend à repousser l'eau… et à acidifier le sol. On peut toutefois l'utiliser en mélange avec des rognures de gazon en tant que paillis (elle aère les rognures de gazon, autrement trop compactes pour être utiles).

Le sable

On vend du sable comme amendement, mais on peut se demander à quoi il peut bien servir! Certainement pas à «alléger les sols lourds», comme on le prétend parfois. C'est un ingrédient structurant d'une bonne terre à potager… mais il est plus sage d'acheter votre terre déjà prête

L'engrais vert

Le terme est mal choisi, car l'engrais vert n'est pas un engrais, mais bien un amendement. L'idée est de cultiver des plantes qui enrichissent le sol, comme le trèfle, la luzerne, les céréales, la moutarde et le sarrasin, sur une section en jachère du potager, mais de les faucher et de les enfouir dans sol avant qu'elles montent en graines. Non seulement cela enrichit-il le sol, mais les engrais verts semés densément peuvent étouffer des mauvaises herbes persistantes. C'est très bien sur une ferme, où on peut se permettre de laisser un champ vide pendant une saison, mais au potager familial? Peu de gens sont prêts à sacrifier l'espace nécessaire. Et retourner la terre pour les enfouir est néfaste au sol et aux organismes du sol. Je suggère plutôt d'enrichir votre potager avec d'autres amendements. Si par contre vous avez l'espace pour le faire, vous pourriez produire un engrais vert ailleurs et l'ajouter au compost que vous apporterez au potager par la suite.

Comment appliquer les amendements organiques

Comme pour les produits acidifiants et alcalinisants, la tradition veut qu'on mélange les amendements organiques au sol. Mais un principe de base du jardinier paresseux est qu'on retourne le sol le moins possible pour ne pas détruire sa structure ni nuire aux organismes du sol. La solution à ce dilemme est facile: il suffit de déposer les amendements organiques sur le paillis ou au lieu du paillis et de laisser Dame Nature s'en occuper, plus visiblement avec son armée de vers de terre. Tous les bénéfices des amendements iront au sol quand même, je vous l'assure.

Les engrais

Les engrais ou fertilisants sont des éléments nutritifs concentrés, sans matière organique ou avec très peu. Très souvent on n'indique en grosses lettres sur l'étiquette que le N-P-K (taux d'azote, de phosphore et de potassium), alors que le contenu en d'autres éléments nutritifs est indiqué en très petites lettres (sortez vos lunettes!) au verso de l'emballage, également avec leur pourcentage. Mais rarement indique-t-on les éléments nutritifs présents à moins de 1%, ce qui est regrettable, car ces éléments, notamment les oligo-éléments, peuvent être utiles en des proportions encore plus faibles que 0,01%. Certains produits organiques affichent 0-0-0, ce qui ne veut pas du tout dire qu'ils ne contiennent aucun élément majeur, seulement qu'ils en contiennent moins de 1% de chacun.

Je considère les engrais comme un pis-aller, à utiliser seulement si, pour une raison ou une autre, la matière organique que vous avez appliquée ne donne pas le rendement désiré. Par exemple, si vous n'utilisez pas de paillis, n'ajoutez pas de matière organique au sol ou que vous avez négligé votre potager pendant quelques années. Il y a cependant deux cas où je considère l'utilisation d'engrais comme légitime :

1. En cas de carence ou de possible carence : une carence (absence d'un minéral nécessaire au développement d'une plante) peut survenir n'importe quand pour des raisons très difficiles à expliquer, mais qui ont souvent un lien avec des conditions très localisées qui ont rendu un minéral indisponible. Il n'est pas nécessaire de savoir exactement ce qui manque, du moins au début, mais plutôt d'agir rapidement. Appliquez un engrais complet (contenant tous les éléments et oligo-éléments), de préférence par application foliaire. Normalement la plante carencée reprend sa croissance normale très rapidement. Sinon, ce n'était peut-être pas une carence, mais une maladie ou un insecte. Si la carence semble généralisée ou persistante, une analyse de sol s'impose.

2. Pour la culture en contenant : la culture en pot (voir p. 38) est un tout autre monde, avec plus de racines condensées dans un seul espace et un problème important de lessivage, deux complications qu'on ne peut pas toujours résoudre par l'application d'un peu de compost. Je recommande l'application d'un engrais à dégagement lent, ainsi que des applications aux deux semaines d'engrais naturels solubles.

> **UN PENSEZ-Y BIEN**
>
> Saviez-vous que les engrais sont toxiques pour les plantes ? Il faut les diluer correctement, les mélanger avec le sol ou les appliquer uniquement en surface pour procéder en toute sécurité. Les racines qui touchent directement à un engrais pur meurent.

Les engrais de synthèse

Aussi appelés engrais chimiques, il s'agit d'engrais qui ne sont pas dérivés de sources naturelles, mais plutôt de substances transformées chimiquement. Ils peuvent être assimilés directement par les plants, d'où une réaction rapide. Ils ne sont toutefois pas recommandés dans le potager d'entretien minimal pour les raisons suivantes :

> ils sont plus sujets au lessivage et donc à la pollution des eaux ;

> ils nuisent à la vie biologique du sol et peuvent même tuer les organismes bénéfiques ;

> ils sont plus susceptibles de brûler les racines des plantes si on ne les applique pas correctement.

Les engrais organiques

Les engrais organiques ou naturels sont dérivés de sources naturelles : produits d'origine végétale ou animale, roches pulvérisées, etc. Les éléments nutritifs qu'ils contiennent ne sont pas immédiatement assimilables par les plantes, ils doivent d'abord être digérés par les organismes du sol. En général, il en résulte une certaine persistance de l'engrais dans le sol : un seul traitement dure toute une saison. C'est pourquoi on dit qu'ils sont à dégagement lent (il existe aussi des engrais de synthèse à dégagement lent). La plupart sont granulaires ou en poudre, certains sont liquides, concentrés ou non. Il est important de comprendre que les engrais n'apportent essentiellement que des éléments nutritifs et n'améliorent pas la qualité du sol, et qu'ils doivent toujours être complémentaire aux amendements organiques, qui, eux, améliorent et maintiennent sa qualité. Notez que même les engrais organiques peuvent brûler les racines des légumes s'ils ne sont pas correctement dilués.

Habituellement, on applique les engrais à dégagement lent sur le paillis en début de saison, avant la plantation ou le semis. La pluie et les arrosages les font descendre dans le sol jusqu'aux racines. On peut aussi les incorporer au tas de compost pour former un compost extra riche.

Il y a une foule d'engrais organiques offerts sous différentes marques de commerce qui contiennent plus d'un ingrédient et qu'on vend comme « engrais pour potager », « engrais pour légumes », « engrais pour tomates et potagers », etc. Qu'ils soient plus intéressants pour le potager que tout autre engrais est loin d'être certain : un « engrais pour vivaces », un « engrais pour rosiers » ou un « engrais tout usage » serait tout aussi approprié, car les plantes ne savent pas lire les étiquettes. C'est que bon nombre de jardiniers croient que le taux de N-P-K d'un engrais est le seul facteur d'importance. Au contraire, du moment que l'engrais contient des éléments nutritifs, peu importe leurs proportions, les légumes peuvent les utiliser. Ainsi, *tout* engrais organique complet (contenant à la fois une part des éléments principaux et des éléments mineurs) convient aux légumes, quel que soit l'usage indiqué sur l'étiquette.

La plupart de ces mélanges sont composés d'un ou de plusieurs des ingrédients suivants :

> **Algues liquides** (divers N-P-K) : le N-P-K de cet engrais liquide varie d'un distributeur à un autre, habituellement entre 0-0-0 et 1-1-1, ce qui paraît peu. Or, même les algues liquides 0-0-0 contiennent les trois éléments majeurs ; c'est que leur proportion est de moins de 1%. Le grand avantage des algues liquides est qu'elles contiennent beaucoup d'oligo-éléments, même des éléments qu'on soupçonne être des oligo-éléments sans en être certain. Elles contiennent aussi des hormones de croissance (cytokinines) utiles à la croissance des légumes. On sait également que les plantes traitées aux algues liquides sont plus résistantes à certains insectes et maladies. On les applique diluées en vaporisation sur le feuillage. C'est le produit principal pour la correction des carences. Dose normale : 10 ml/litre d'eau.

> Pour que les engrais foliaires adhèrent mieux aux feuilles, ajoutez 1 goutte de savon biodégradable par litre de produit.

> **Émulsion de poisson** (environ 4-3-4) : c'est une formulation liquide qu'on utilise habituellement diluée comme engrais foliaire, mais on peut aussi s'en servir en arrosage. Elle est à action assez rapide et contient beaucoup d'oligo-éléments. Elle est très intéressante pour les semis et comme engrais « coup de fouet » au printemps. Recherchez plutôt une formulation désodorisée. Dose normale : 10 ml/litre d'eau.

> **Farines animales** (environ 13-2-0) : ces engrais d'origine animale sont dérivés de sang, de plumes, de viande, etc. Ils sont très riches en azote et donc populaires, car l'azote est l'élément qui manque le plus souvent dans les sols. Leur action est assez rapide mais peu durable, bonne surtout pour donner un « coup de fouet » en début de saison. La farine de sang a, de plus, la réputation d'éloigner les rongeurs. Dose normale : 5 kg/100 m².

> **Farine d'algues** (environ 0,5-0,2-1,3) : bien que faible en éléments majeurs, la farine d'algues contient tous les oligo-éléments et peut être utile pour traiter les cas potentiels de carence. Compte tenu de

sa haute teneur en éléments mineurs, on doit utiliser cet engrais de façon modérée. Dose normale : 1 kg/100 m².

> **Phosphate minéral** (0-27-0) : aussi appelé phosphate de roche, il s'agit d'un minerai broyé riche en phosphate et en calcium. Il est efficace pendant plusieurs années (sept ans environ) et a un effet alcalinisant. On l'utilise souvent dans des situations où le sol est naturellement acide et faible en phosphate, ou on peut l'ajouter au compost. Dose normale : 10 kg/100 m².

> **Poudre d'os** (environ 2-11-0) : cet engrais est à dégagement tellement lent qu'il a peu d'effet sur la croissance ; il met quatre ans à se décomposer complètement. Pourtant la poudre d'os demeure populaire, en bonne partie parce qu'« elle ne brûle pas ». Elle a tendance à attirer des animaux indésirables au potager, notamment les rongeurs, et personnellement je ne la recommande pas. Ce n'est pas parce qu'un produit est biologique qu'il est bon ! Dose normale : 10 à 25 kg/100 m².

> **Farine de crustacés** (environ 8,5-6-0) : la farine de crevette et la farine de crabe, riches en azote ou en phosphore, remplacent souvent la poudre d'os à laquelle elles ont un effet similaire, mais elles se dégagent plus rapidement sans attirer la vermine. Dose normale : 5 à 10 kg/100 m².

> **Sul-Po-Mag** (0-0-22) : malgré son nom à résonance bien chimique, cet engrais est un produit de source minière, donc considéré comme naturel. C'est un sel totalement soluble, qui agit rapidement mais dure longtemps. Il est riche en potassium, en soufre et en magnésium, et il est utile dans les sols naturellement pauvres en ces éléments. Il est difficilement disponible en jardinerie, mais on peut le trouver chez les fournisseurs de produits agricoles. On l'applique sur le paillis au printemps. Dose normale : 3 à 5 kg/ 100 m².

> **Thé de compost** : mélangez une pelletée de compost bien mûr dans un sac de toile, ajoutez une pierre pour qu'il ne flotte pas et laissez tremper dans un seau d'eau. Infusez pendant une semaine, en remuant de temps en temps. Vaporisez le « thé » produit sur vos légumes, puis éparpillez le compost sur le paillis ou remettez-le dans votre composteur. Dose normale : un volume de compost pour cinq volumes d'eau.

LA ROTATION DES CULTURES

Le « R » dans RESPECT (voir p. 8), soit le premier des sept préceptes du potager du jardinier paresseux, signifie la rotation des cultures. Mais qu'est-ce au juste ?

La rotation est une pratique culturale qui consiste à ne jamais cultiver le même légume, ni même un légume de la même famille de plantes, au même endroit deux années de suite. L'idée principale est de prévenir les ravages causés par les insectes et les maladies. Par exemple, cultiver toujours des tomates au même endroit, année après année, c'est chercher des ennuis. Les spores des maladies (et n'est-ce pas que les tomates sont

La rotation des cultures confond les ennemis des légumes.

sujettes aux maladies?) hivernent habituellement dans le sol au pied même de leur plante préférée. Quant on replante des tomates au même endroit l'année suivante, la maladie est déjà là, prête à l'attaque. Mais si on les plante ailleurs, les spores ne peuvent plus les atteindre. Et comme les poivrons sont de la même famille que les tomates et sujettes à plusieurs des mêmes maladies, il ne faudra pas planter de poivrons à cet endroit non plus. C'est la même chose pour tous les autres légumes.

Idéalement, on fera une rotation pendant au moins quatre ans pour la vaste majorité des légumes, car certaines spores peuvent vivre dans le sol trois ans, mais ce n'est pas évident dans un petit potager. Si on fait une rotation aux deux ans, c'est déjà un bon départ.

Pour les insectes, c'est la même chose : ils hivernent, sous formed'œufs de pupe ou de larve, au pied de leurs préférés. Sauf que… les insectes sont plus mobiles que les spores. S'ils ne trouvent pas leur hôte préféré à proximité, ils peuvent parfois aller le chercher, surtout si ce sont des pupes qui ont

LES FAMILLES DE LÉGUMES	
AIZOACÉES Tétragone cornue	**GRAMINÉES** Maïs
CHÉNOPODIACÉES Arroche Bette à carde Betterave Épinard	**LÉGUMINEUSES** Gourgane Haricot Pois
COMPOSÉES Laitue Topinambour	**LILIACÉES** Asperge Ail Échalote Oignon Poireau
CONVOLVULACÉES Patate douce	**OMBELLIFÈRES** Carotte Céleri Céleri-rave Fenouil à bulbe Panais
CRUCIFÈRES Brocoli Chou Chou de Bruxelles Chou frisé (kale) Chou-fleur Chou-rave Navet Radis Rutabaga	**POLYGONACÉES** Rhubarbe **SOLANACÉES** Aubergine Cerise de terre Piment Poivron Pomme de terre Tomate
CUCURBITACÉES Citrouille Concombre Courge Melon Melon d'eau	

Solanacées
(tomates)

Graminées
(maïs)

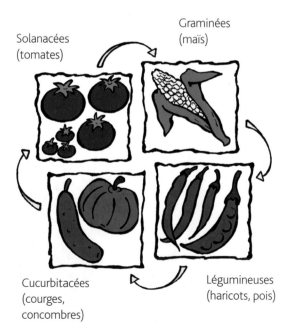

Cucurbitacées
(courges,
concombres)

Légumineuses
(haricots, pois)

Voici un exemple de rotation sur quatre ans pour des légumes de grande taille ou grimpants, donc pour l'arrière-plan du potager.

hiverné, car elles donnent tout de suite des adultes ailés. Au moins les œufs hivernants donnent des larves qui ne sont *pas* très mobiles. On peut combiner la rotation avec l'utilisation d'une couverture flottante (voir p. 60) pour vaincre même les insectes volants. Une simple rotation en deux temps suffit pour les insectes : un insecte qui ne trouve pas sa proie une année ne laissera pas de descendants l'année suivante.

> ### ILS NE « ROTENT » PAS
> Ce ne sont pas tous les légumes qui devraient faire l'objet d'une rotation. La rhubarbe et l'asperge ne sont pas cultivées comme les autres légumes, elles sont permanentes et n'aiment pas les déplacements.

Rotation selon les exigences de fertilisation

Ce n'est pas tout ! Certains jardiniers tentent aussi de faire une rotation pour aider à prévenir l'épuisement des sols. Dans cette perspective, on divise les légumes en quatre groupes :

> les **légumes-fruits**, comme les tomates, exigeraient un sol très riche ; on les plante donc dans un sol fraîchement amendé de compost *l'année 1* ;

> les **légumes-feuilles**, comme les laitues, préféreraient un sol riche mais pas un compost frais ; on les plante donc *l'année 2* ;

> les **légumes-racines**, comme les carottes, toléreraient un sol moins riche et pourraient donc profiter encore dans un sol un peu fatigué *l'année 3* ;

> les **légumineuses** produisent leur propre azote grâce à des colonies de bactéries vivant sur leurs racines ; ainsi pourraient-elles tolérer les sols carrément épuisés *l'année 4* ;

> selon cette approche, *l'année 5* est une année de repos : on met la terre en jachère et l'on cultive uniquement des **engrais verts** destinés à être enfouis en vue d'un nouveau cycle.

Très honnêtement, je suis un peu sceptique à propos des avantages d'une telle rotation. Plutôt que d'enrichir le sol une année, puis de le laisser s'épuiser avant de l'enrichir de nouveau, ce que me paraît assez peu naturel, je suggère de pailler le sol, ce qui le renouvelle constamment, et d'ajouter du compost quand il est disponible. Ainsi le sol sera toujours riche. Et même les légumineuses, qui tolèrent les sols pauvres, se comportent mieux dans un sol plutôt riche.

Quant à l'idée de laisser une partie du potager en jachère, c'est-à-dire vide de légumes… eh bien, qui a assez d'espace ?

Plan de potager.

Un plan directeur

Sans se perdre dans les dédales de la rotation poussée où il faut un ordinateur pour déterminer quelle plante va où, il est quand même pratique de faire un petit plan tous les ans pour se rappeler quel légume a été planté à quel endroit et quels légumes on prévoit planter pour la saison qui s'en vient et où. Le plan de l'année précédente (ou, si vous les avez, ceux des trois dernières années) vous aidera à choisir les légumes et leur endroit de plantation.

LES SEMIS

On ne va pas loin dans le potager sans savoir semer des graines. D'accord, on peut acheter certains plants déjà en croissance et prêts à repiquer, mais le choix est minimal : tomates, piments, concombres, choux, oignons et laitues, en général. Mais essayez donc de trouver des plants de radis, de carottes, de betterave, etc. Vous n'en trouverez pas : ce sont des légumes qu'on produit uniquement par semis directs.

Acheter des graines : surtout une question de choix accru

Il peut être intéressant de semer soi-même les légumes qui sont régulièrement offerts en caissette. Pourquoi ? D'abord, il y a une question de coût : il coûte beaucoup moins cher de cultiver ses plants soi-même que de les acheter. Et il y a aussi le plaisir de cultiver des plants soi-même, du semis jusqu'à la récolte : « Serai-je assez fier de ces légumes que j'ai cultivés moi-même, de A à Z ! » Produire des tomates à partir de plants achetés, c'est comme faire un gâteau à partir d'un mélange plutôt qu'à partir de zéro : on n'a pas entièrement droit au crédit entier de son succès.

Mais la raison principale qui pousse les jardiniers à semer les légumes eux-mêmes est le choix plus vaste. Il est tout simplement impossible d'avoir des choix intéressants de plants de légumes sur le marché actuel. On a effectué en 2003 une tournée de 15 pépinières, jardineries et marchés de la grande région de Québec, une agglomération qui compte tout de même 660 000 habitants dont environ la moitié cultivent des tomates l'été, qui a révélé qu'on y trouvait… six variétés de tomates. Et la plupart des marchands n'offraient qu'une ou deux variétés. Certains ne savaient même pas ce qu'ils vendaient.

Évidemment, si vous êtes un débutant, mais vraiment un novice, vous ne savez peut-être pas qu'il y a plus que six variétés de tomates. Et même les jardiniers plus connaissants ne doivent pas se rendre compte qu'il y en a en fait *plusieurs milliers* (la BBC, la radio-télévision britannique, en estime le nombre à environ 3 000). Il y a de grosses tomates et de petites tomates ; des tomates rouges, orange, jaunes, roses, blanches, vertes, pourpres, brunes, striées ; des tomates rondes, allongées, pyriformes, carrées et difformes ; des tomates lisses et des tomates velues ; des tomates de table, des tomates d'expédition, des tomates à purée, des tomates à salsa, des tomates à dessert, des tomates à farcir et des tomates à jus ; des plants de tomate nains et des géants de plus de 5 m, etc. Et il y a autant de variétés de haricots, de choux, de pommes de terre et de poivrons. Et pour tous les légumes sauf les plus obscurs, il y a des centaines de cultivars. Le faible choix de plants de légumes sur le marché est tout simplement désolant. Il *faut* acheter des semences si on veut avoir du choix.

> ### QU'EST-CE UN LÉGUME ?
>
> Oh là là ! Nous sommes sur un terrain glissant. Chacun semble avoir sa propre définition. La mienne est la suivante : un légume est une *plante potagère destinée à l'alimentation*. Cette définition exclut les fines herbes (habituellement cultivées comme garnitures ou condiments), les céréales autres que le maïs (on les cultive rarement en potager), mais elle inclut la rhubarbe et les cerises de terre (assurément des plantes *potagères*, puisqu'on les y cultive) que certains considèrent comme des fruits. Et la tomate ? C'est, d'après ma définition, un légume… mais un légume-fruit.

Ou presque ! Il arrive en de très rares occasions de tomber sur un marchand qui, plutôt que de vendre des plants de légumes génériques, se spécialise dans les variétés inhabituelles. Si c'est le cas, c'est une belle occasion pour faire des essais.

Où trouver des semences de légumes?

En jardinerie, pour commencer. La plupart ont des étalages de graines qui offrent un choix très intéressant. Mais surtout par catalogue, imprimé ou sur Internet. C'est là qu'on a vraiment un choix remarquable.

BECKER'S SEED POTATOES
R.R. 1, Trout Creek (ON) P0H 2L0
Tél.: 705-724-2305
(catalogue gratuit)
Pommes de terre rares

FISH LAKE GARLIC MAN
R.R. 2, Demorestville (ON)
K0K 1W0
Tél.: 613-476-8030
(catalogue 3 $
plus enveloppe pré-affranchie)
Ail biologique

HEIRLOOM SEEDS
P.O. Box 245, West Elizabeth
VA 15088-0245 USA
Tél.: 412-384-0852
Site Internet: www.heirloomseeds.com
(catalogue 1 $ US, remboursable)
Semences anciennes et non traitées

HORTI-CLUB
2914, boul. Labelle
Laval (QC) H7P 5R9
Tél.: 450-682-9071
Site Internet: www.horticlub.com
(catalogue gratuit)
Semences de fleurs et de légumes,
bulbes, fruitiers

JOHNNY'S SELECTED SEEDS
1 Foss Hill Road., R.R. 1, P.O. Box 2580
Albion, ME 04910 USA
Tél.: 207-437-4301
Site Internet: www.johnnyseeds.com
(catalogue gratuit)
Semences de légumes, annuelles.

LES JARDINS DU GRAND-PORTAGE
800, ch. du Portage
Saint-Didace (QC) J0K 2G0
Tél.: 450-835 5813
Site Internet: www.intermonde.net/
colloidales
(catalogue gratuit)
Semencesde légumes biologiques

MAPPLE FARM
129 Beech Hill Rd.
Weldon (NB) E4H 4N5
wingate@nbnet.nb.ca
(catalogue gratuit)
Semences de légumes
et tubercules de patate douce

MCFAYDEN SEEDS
30-9th St. Suite 200
Brandon (MN) R7A 6N4
Tél.: 800 205-7111
Site Internet: www.mcfayden.com
(catalogue gratuit)
Semences de fleurs
et de légumes

MYCOFLOR INC.
7850, chemin Stage
Stanstead (QC) J0B 3E0
Tél.: 819-876-5972
Site Internet: www.produitsdelaferme.
com/mycoflor
(catalogue 3 $)
Spores de champignons
et semences de légumes

ONTARIO SEED CO. LTD.
Box 7, Waterloo (ON) N2J 3Z6
Tél.: 519-886-0557
Site Internet: www.oscseeds.com
(catalogue gratuit)
Semences de fleurs et de légumes.

PARK SEED CO.
1 Parkton Avenue, Greenwood
South Carolina 29647-0001 USA
Tél.: 800 845-3369
Site Internet: www.parkseed.com
(catalogue gratuit)
Semences de fleurs et de légumes.

LES SEMENCES SOLANA
www.solanaseeds.netfirms.com
Semences de légumes rares et de fleurs

SEMENCES STOKES
39 James Street, P.O. Box 10
St. Catharines (ON) L2R 6R6
Tél.: 800 396-9238
Site Internet: www.stokeseeds.com
(catalogue gratuit)
Semences de légumes et de fleurs

THOMPSON & MORGAN
P.O. Box 1051
Fort Erie (ON) L2A 6C7
Tél.: 800 274-7333
Site Internet:
www.thompson-morgan.com
(catalogue gratuit)
Semences de fleurs et de légumes

VESEY'S SEEDS
PO Box 9000, Charlottetown
(PEI) C1A 8K6
Tél.: 800 363-7333
Site Internet: www.veseys.com
(catalogue gratuit)
Semences de légumes et
de fleurs pour saisons courtes

WEST COAST SEEDS
3925 – 64th Street
Delta (BC), V4K 3N2
Tél.: 604-952-8820
Site Internet: www.westcoastseeds.com
(catalogue 1 $)
Semences de légumes,
de fleurs et de fines herbes

WILLIAM DAM SEEDS LTD.
Box 8400
Dundas (ON), L9H 6M1
Tél.: 905-628-6641
Site Internet: www.damseeds.com
(catalogue gratuit)
Semences non traitées
de légumes et de fleurs

Comment choisir des graines

Quand on voit le vaste choix de semences de légumes sur le marché, on veut toutes les commander... mais il faut être raisonnable. J'aime bien mélanger la culture de variétés éprouvées avec celle de quelques nouveautés tous les ans. Ainsi, je sais que j'aurai une bonne récolte d'une variété qui a fait ses preuves et que si la variété expérimentale est moins bonne ou productive, ce sera moins décevant. Par contre, à force d'expérimenter, vous allez trouver des variétés supérieures... et tant mieux, car c'est à force d'expérimentation que le jardinage évolue !

Voici quelques termes que vous verrez dans les catalogues, qui méritent une explication :

> *Coureur/non coureur*

Habituellement appliqués aux courges, qui sont dites coureuses si elles produisent de longues tiges rampantes ou grimpantes, et non coureuses si elles poussent en touffe sans tiges coureuses. Il existe aussi des variétés semi-coureuses : elles forment d'abord une touffe de feuilles, puis des tiges rampantes ou grimpantes, mais moins développées que celles des variétés coureuses.

> *Déterminé/indéterminé*

Ces termes s'appliquent surtout aux tomates et on peut les traduire en deux mots : déterminé veut dire « buissonnant » et indéterminé veut dire « grimpant ».

Les tomates *déterminées* sont génétiquement programmées pour arriver à une certaine hauteur, puis arrêter de pousser. Elles produisent toutes leurs fleurs à peu près en même temps, et leur récolte est abondante mais brève. Elles n'ont pas besoin de tuteur et sont habituellement à maturation hâtive.

Les tomates *indéterminées* poussent durant toute leur vie, devenant de plus en plus hautes. Elles exigent un support solide. Elles produisent des fleurs tout au long de la saison et donnent donc, au total, une production largement supérieure aux tomates déterminées, mais étalée sur une longue saison. Habituellement elles sont plus tardives que les tomates déterminées.

> *Hybride*

Ce terme signifie « issu d'un croisement entre deux plantes ». Un hybride porte un mélange de traits de ses deux parents et n'est pas nécessairement identique ni même semblable aux plantes produites à partir du même croisement, pas plus que les enfants d'une même famille humaine sont identiques. Comme le résultat varie, pourquoi alors offrir des hybrides ?

Dans les catalogues, qu'on le mentionne ou non, les hybrides en question sont des *hybrides F_1* (hybrides de première génération). Ces hybrides sont issus de croisements entre deux légumes de lignées fixées (dont les traits sont connus et ne varient pas). Ainsi les plantes produites combinent toujours les mêmes traits de leur père et de leur mère et exactement de la même façon. Les F_1 sont donc pratiquement identiques.

L'hybridation permet de combiner des traits qui seraient autrement difficiles à assembler. Certains jardiniers biologiques décrient les semences hybrides comme n'étant pas naturelles, mais les plantes se croisent dans la nature aussi. Où est le problème ? Le défaut des semences hybrides (et là, les jardiniers biologiques ont bien raison de se plaindre) est que leur progéniture n'est pas fiable. Autrement dit, il ne sert pas à grand-chose de conserver les semences des variétés hybrides, car les plants qu'elles donneront auront des traits encore mélangés.

Complexe? Prenons l'exemple de l'aubergine 'Violetta' (nom fictif). C'est une aubergine violette F_1, issue d'un croisement entre l'aubergine 'Purpurea', à fruits pourpres, et 'Blanca', à fruits blancs, deux lignées qui se sont montrées parfaitement stables depuis des générations (pour les légumes, une « génération » dure un an ou deux). Le croisement entre 'Purpurea' et 'Blanca' donne toujours 'Violetta', la génération F_1, et c'est ce qu'on veut. Mais croiser 'Violetta' avec elle-même (chose possible avec les plantes), et – horreur! – la nouvelle génération (F_2 ou deuxième génération) montrera des traits en mélange : fruits blancs, fruits violets, fruits pourpres, et aussi tous les dégradés possibles entre ces couleurs.

Donc, d'un point de vue, les hybrides seraient inférieurs parce que vous devez toujours en acheter d'autres tous les ans. Par contre, si vous ne récoltez pas les semences de vos légumes, cela vous importera peu. Et certains légumes sont presque toujours achetés sous forme de semences, car la récolte de ces dernières est difficile. Si vous n'avez pas l'intention de récolter des semences, les semences hybrides ne vous préoccuperont pas. Si, au contraire, vous avez l'intention de récolter les semences de vos légumes, optez pour des lignées non hybrides.

ALERTE AUX OGM ?

Faut-il avoir peur que des OGM (organismes modifiés génétiquement) infiltrent nos légumes de table? Pas encore, du moins généralement. L'introduction de gènes par génie génétique plutôt que par fécondation naturelle n'a pas trop touché les légumes jusqu'à maintenant : les chercheurs se concentrent plutôt sur les céréales et les bestiaux. Il y a bien eu des essais pour créer des tomates plus durables, mais à petite échelle. Ces tentatives n'ont pas encore donné des champs pleins de tomates Frankenstein qui pourraient contaminer nos tomates de table. Le maïs est une autre histoire, car les champs de maïs modifié génétiquement ne manquent pas, mais même là, les possibilités de transmission d'OGM à nos légumes de table sont limitées. Les maïs commercialisés qui contiennent des OGM sont des maïs fourragers, alors que ce que nous cultivons dans nos potagers et consommons, c'est du maïs sucré. S'il devait y avoir des croisements entre les deux, vous n'auriez pas envie d'en manger le résultat, car il goûterait le carton-pâte! Sans doute qu'il faut surveiller la situation des OGM dans le monde des légumes, mais pour l'instant le risque est à un très bas niveau.

> ### Légume ancien

Aussi appelé légume oublié, légume d'autrefois, légume héritage (d'après l'anglais « heritage vegetable »), légume patrimonial, etc. Il s'agit d'une variété ancienne de légume (datant souvent d'avant les années 1940) qui est redevenue disponible de nos jours en raison de ses caractéristiques exceptionnelles (couleur, forme, goût « à l'ancienne », etc.). La croyance selon laquelle ces légumes seraient nécessairement meilleurs que les légumes modernes n'est cependant pas fondée : il y avait aussi des « navets » autrefois, vous savez! On peut toutefois être certain que ces variétés ne sont pas des hybrides F_1 et qu'on peut récolter leurs semences pour perpétuer leurs lignées.

> ### Semence biologique

Il s'agit d'une semence qui a été récoltée sur des plantes cultivées biologiquement, donc sans pesticides ni engrais chimiques. Importe-t-il que le *parent* ait été cultivé biologiquement si les bébés (que vous cultivez vous-même) le sont? Personnellement, je crois que non et ne me force pas pour en acheter. Cela ne m'empêche pas de me considérer comme un jardinier biologique quand même. Mais à vous de décider. Le choix de semences biologiques est très mince.

> *Semence non traitée*

Ce n'est pas du tout la même chose qu'une semence biologique. Une semence *traitée* a été enduite d'un fongicide pour prévenir la pourriture avant la germination. Une semence non traitée n'a donc n'a pas été enduite de fongicide. Plusieurs semenciers traitent d'office toutes les graines de maïs et de haricots, mais ils peuvent offrir des graines non traitées sur demande.

Résistance aux maladies

Vous verrez fréquemment, dans les catalogues ou sur des sachets de semences, une série de lettres (FNT, par exemple) à la suite du nom de certaines variétés. Ces lettres indiquent que cette variété est résistante aux maladies dont elles sont l'abréviation. Il est fort intéressant de choisir des variétés montrant une résistance aux maladies.

Évidemment, le terme « résistance » n'est pas l'équivalent de « immunité ». Beaucoup de légumes présentent une faiblesse génétique générale en rapport avec certaines maladies, et le mieux auquel on puisse s'attendre est une capacité de résister à la maladie. Par exemple, la verticilliose est tellement répandue chez la tomate que presque tous les plants en souffrent jusqu'à un certain point ; par contre, cette maladie évolue tellement plus lentement chez les variétés résistantes (résistance indiquée par un V) qu'elle ne porte aucun préjudice à la production, alors qu'une plante plus susceptible peut voir sa récolte considérablement amoindrie.

CODES DE RÉSISTANCE AUX MALADIES

Les codes de résistance aux maladies sont trop rarement indiqués sur les enveloppes de semences de légumes, mais ils apparaissent très souvent dans les bons catalogues. La nomenclature est malheureusement un peu variable d'un vendeur à un autre, mais certaines abréviations semblent plus largement acceptées.

A ou ALB: alternariose, brûlure alternarienne (tomate, carotte)

ALS: tache angulaire (concombre)

AN ou ANTH: anthracnose

AYM: jaunisse (carotte)

B: blanc

BHR: pourriture molle

BPMV: virus de la marbrure de la gousse du haricot

BR ou BRR: nervation noire (chou)

CBMV: mosaïque commune

CMV: mosaïque du concombre (tomate, poivron, concombre)

DM: mildiou

F: flétrissure fusarienne

F1: flétrissure fusarienne (race 1)

F2: flétrissure fusarienne (race 2)

FF: flétrissure fusarienne (races 1 & 2)

GLS: tache grise (tomate)

L: septoriose

LMV: mosaïque de la laitue

M: mildiou

MDMV: virus de la mosaïque nanifiante du maïs

N: nématodes

NCLB: brûlure septentrionale

PepMV: virus de la mosaïque du pépino (poivron)

PLRV: enroulement du pois

PM: blanc

S ou SCAB: gale (concombre, pomme de terre)

S, ST, SEMP ou STEMPH: tache grise (tomate)

SCLB: helminthosporiose du Sud du maïs

SW: flétrissure de Stewart (maïs)

T ou TMV: mosaïque du tabac

TB: brûlure de la pointe

TSWV: tache bronzée de la tomate

V: flétrissure verticillienne

WV ou WMV: virus de la mosaïque de la pastèque

YR: jaunisse (tomate, chou)

ZYMV: virus de la mosaïque jaune de la courgette

POUR HÂTER LA SAISON DE JARDINAGE

Avant d'aborder les techniques de semis et de transplantation, il vaut la peine d'évoquer la possibilité de hâter la saison de jardinage. Car le printemps arrive tardivement dans nos régions. N'existe-t-il pas des techniques pour gagner un peu de temps ? Oui, il y en a. Non pas qu'on peut semer en pleine terre en février, mais on peut gagner quelques semaines ou même un mois sur la saison.

Cultiver en pot

La terre dans un pot se réchauffe toujours plus rapidement que le sol de jardin. C'est encore plus vrai si le pot est de couleur noire ou foncée et à l'abri du vent. De plus, vous pouvez toujours déplacer les pots temporairement vers un garage ou un cabanon, ou même les rentrer la nuit si la température de l'air baisse subitement.

Écarter le paillis

Les paillis ont bien des avantages, mais il est vrai qu'ils retardent le début de la saison de quelques jours. On peut donc déplacer le paillis à côté du potager au printemps pour laisser le soleil réchauffer la terre. Le prix à payer est cependant une terre qui se compactera sous la pluie et la possibilité que, en attendant, des graines de mauvaises herbes commencent à germer sur la surface dégagée. Personnellement, je garde mes potagers couverts de paillis 12 mois par année, considérant que les dérangements associés au déplacement du paillis et les méfaits qui s'ensuivent sont plus néfastes qu'avantageux.

Cloches, tunnels et compagnie

L'un des moyens traditionnels pour hâter la saison de plantation consistait à déposer des cloches en verre sur la surface du sol tôt au printemps pour le réchauffer. Le verre transparent laissait passer les rayons lumineux, réchauffant le sol. Normalement cette chaleur aurait été perdue le soir, mais le verre isolant empêchait cette évacuation. Ainsi l'emplacement concerné atteignait-il rapidement une température estivale. On pouvait alors enlever la cloche temporairement, semer ou repiquer un plant, puis remettre la cloche. On enlevait définitivement la cloche quand il n'y avait plus de risque de gel. Cette méthode faisait gagner une ou deux semaines et était surtout populaire avec les légumes « lents à démarrer », comme les tomates, les piments et les aubergines.

Les cloches existent toujours, mais elles sont habituellement en plastique transparent ou translucide. La cloche la plus courante est sûrement celle de fabrication maison, faite d'un contenant en plastique transparent ou translucide (contenant d'huile, de vinaigre, etc.) dont le fond a été enlevé et qu'on peut alors placer par-dessus des semis fragiles.

Vous pouvez aussi acheter ou vous fabriquer un abri de culture, communément appelé « tunnel ». Cette structure est faite d'arceaux de métal ou de plastique fixés au sol du potager et recouverts d'une feuille

La cloche de jardin classique est réellement en forme de cloche.

Photo : National Garden Bureau

Cloche maison.

Photo : www.jardinierparesseux.com

Un tunnel de culture est pratique pour protéger les légumes fragiles contre le froid.

Photo : www.jardinierparesseux.com

Vous trouverez une couche froide très pratique.

Photo : www.jardinierparesseux.com

On peut recouvrir une section du potager avec une couverture flottante.

en plastique ou d'une couverture flottante. C'est peut-être la plus populaire des «cloches» commerciales de nos jours. On place le tunnel sur le potager, par-dessus le paillis, tôt dans la saison pour réchauffer le sol, puis on plante ou on sème nos légumes à l'intérieur même quand il fait frisquet à l'extérieur. Quand il fait chaud, on roule le plastique vers le haut ou les côtés (selon le modèle) pour laisser circuler l'air ; quand il fait froid, on le remet à sa place. Quand tout danger de froid est passé, on peut démonter le tunnel jusqu'à la prochaine saison. Dans les régions aux étés froids, le tunnel sera utile toute la saison, car il protège les légumes fragiles contre les nuits froides.

Il existe (ou l'on peut s'en fabriquer) des couches froides amovibles qu'on peut placer sur le potager au printemps et enlever l'automne. Elles fonctionnent à peu près comme des tunnels de grande taille.

Le défaut des cloches, des couches froides et des tunnels est qu'ils demandent une bonne surveillance. D'abord, par une journée ensoleillée, même tôt au printemps, il peut faire très chaud sous la protection. Une température de 20 à 25 °C c'est bien, mais 27 °C ou plus, c'est trop pour beaucoup de légumes. Alors, il faut un peu jouer à la chaise musicale avec les protections : les ouvrir ou les enlever par journée ensoleillée pour les refermer ou les replacer le soir.

À la place des protections imperméables, vous pouvez installer simplement une toile perméable, soit un «géotextile non tissé» qui laissera entrer la pluie et sortir l'air trop chaud. Le modèle le plus populaire est la «couverture flottante» («floating row cover» en anglais). Elle est tellement légère qu'il suffit de la poser lâchement sur le sol après le semis ou les plantations en la tenant en place par des piquets ou des pierres. Les plantes elles-mêmes soulèveront la couverture à mesure qu'elles pousseront, sans en être endommagées. J'utilise aussi ces couvertures comme barrière contre les insectes (voir p. 91). Les couvertures flottantes protègent jusqu'à environ −2 °C : ça ne paraît pas beaucoup, mais c'est souvent assez !

Paillis en plastique

Il s'agit d'un film plastique dont on recouvre le sol tôt dans la saison pour le réchauffer, puis qu'on laisse en place durant l'été pour empêcher les mauvaises herbes de pousser.

Le paillis en plastique noir est très populaire pour les productions à grande échelle.

Les plus efficaces pour réchauffer le sol sont les modèles en plastique transparent, qui laissent passer 85 à 95 % des rayons solaires, mais il faut les enlever l'été, car cette lumière stimule les mauvaises herbes qui sont alors difficiles à atteindre.

Le film noir est beaucoup plus populaire, car il réchauffe assez bien le sol tout en ne permettant pas à la lumière de l'atteindre, ce qui empêche la croissance des mauvaises herbes. Il chauffe toutefois moins efficacement que les films transparents.

Il y a des films photosélectifs (appelés aussi films infra-rouges) qui réchauffent davantage le sol que le plastique noir mais sans laisser passer la lumière visible. Ils sont habituellement bruns ou verts.

Il y a même des paillis de couleur (rouge pour les tomates et les aubergines, bleu foncé pour les melons, etc.) qui, prétend-on, améliorent la croissance de ces légumes. C'est sans doute très bien pour le producteur à grande échelle qui fait des monocultures d'un seul légume, mais que fait le petit jardinier qui a planté cinq tomates et deux melons ? Un damier multicolore ? À mon avis, les avantages des paillis de couleur, s'il y en a, sont trop minces pour en justifier l'utilisation.

On étend le film plastique par une journée sans vent, de préférence, le fixant au sol par des piquets ou des pierres. On peut le placer par-dessus un tuyau poreux pour faciliter l'arrosage. Quand le sol est suffisamment réchauffé, on perce des trous de plantation à travers le plastique et on y repique des semis.

Utilisez toujours un film conçu pour l'horticulture, disponible en rouleaux et en feuilles. Les plastiques ordinaires ne laissent pas passer la pluie. Le produit doit aussi être biodégradable, sinon qu'allez-vous faire avec après l'avoir utilisé ?

SEMER LES LÉGUMES À L'INTÉRIEUR

Notre saison de culture n'est pas assez longue pour certains légumes, lesquels, par surcroît, démarrent difficilement dans nos sols printaniers frais. On peut bien sûr acheter des plants, mais on peut aussi les semer. Parmi les légumes qu'on sème toujours à l'intérieur sous notre climat, il y a les tomates, les aubergines, les poivrons et piments, l'oignon, le céleri et les melons. Pour d'autres légumes, comme les concombres, c'est optionnel : on peut les semer en pleine terre, mais aussi vouloir profiter d'une récolte un peu plus hâtive grâce à un semis à l'intérieur. Enfin, il y a de légumes qu'on sème toujours en pleine terre, comme les carottes et les autres légumes-racines. La fiche signalétique de chaque légume, en deuxième partie, vous éclairera sur les possibilités.

Avant d'entreprendre des semis intérieurs, assurez-vous que vous pourrez répondre à leurs exigences. Il faut notamment un emplacement chauffé et bien ensoleillé. Un appui de fenêtre conviendra s'il est assez large, sinon vous pouvez l'élargir en plaçant un meuble à proximité à la période des semis ou en y installant une tablette de rallonge. À défaut du soleil, vous pouvez aussi démarrer vos semis sous une lampe fluorescente.

L'idéal est de disposer de deux emplacements. L'un sera gardé au chaud, car la majorité des graines germent mieux à la chaleur. L'autre emplacement sera plus au frais, surtout le soir. C'est que, si les *graines* en germination aiment la chaleur, les *plants* préfèrent la fraîcheur.

Quand démarrer vos semis

La marge est mince entre démarrer les semis trop tard et ainsi retarder un peu la récolte, et les démarrer trop tôt, ce qui donnera des plants hauts et étiolés qui reprendront mal quand on les repiquera en pleine terre. Avoir cependant à choisir entre les deux, optez pour un semis plus tardif qui donnera des plants plus jeunes. Il est *très* difficile de récupérer un plant trop développé et d'en obtenir de bons résultats.

Dans la deuxième partie, vous verrez, pour chaque légume qu'on démarre normalement dans la maison, une suggestion de date de semis dans sa fiche signalétique. Vous pouvez aussi utiliser comme référence le sachet de semences ou le catalogue où vous avez commandé les semences. Notez qu'on indique souvent deux moments, par exemple «8 à 10 semaines avant le dernier gel». Prenez toujours le délai le plus court. Le plus long s'applique aux producteurs en serre qui cultivent leurs plants plus au frais que ne peuvent le faire la plupart des jardiniers amateurs.

Cela amène inévitablement la question: «Mais c'est quand ma date de dernier gel?» Demandez à 15 experts et ils vous donneront 15 réponses différentes, car, dans le fond, il n'y a *pas* de date garantie après laquelle il n'y aura pas de gel. Tout est donc relatif. Cependant, on peut estimer qu'il y a peu de risque de gel après le 25 mai dans le sud du Québec (région de Montréal) et de l'Ontario (Cornwall), après le 7 juin au centre de la province (Québec, Drummondville, Sherbrooke), après le 15 juin un peu plus au nord (Chicoutimi, Gaspésie, Edmundston) et après le 1er juillet à Val d'Or. Ces dates sont un peu tardives peut-être, mais après avoir vu du gel au sol dans ma propre cour à Québec un 7 juin, elles sont réalistes, je pense.

Reste à apprendre à compter à rebours: ainsi, si votre date du dernier gel est le 25 mai et qu'il faut semer les graines huit semaines avant le dernier gel, prévoyez le faire vers le 30 mars. Il n'est *pas* nécessaire d'être précis: quelques jours plus tôt ou plus tard sont aussi valables.

Matériel nécessaire

Voici une liste de matériel à avoir sous la main quand vous faites des semis:

> **sac de terreau artificiel fraîchement ouvert (pas un sac ouvert plusieurs mois auparavant, car il pourrait avoir été contaminé par des spores de maladie), si possible contenant des mycorhizes;**

> **mycorhizes (si le terreau n'en contient pas);**

> **bol ou seau pour mélanger le terreau;**

> **pots et/ou caissettes à semis (propres et munis de trous de drainage);**

Pots, alvéoles, caissettes, pots de margarine: beaucoup de contenants peuvent servir à faire des semis à l'intérieur.

> godets de tourbe ;

> plateaux étanches ;

> couvercles pour les contenants de semis ou sacs de plastique transparent ;

> étiquettes ;

> crayon indélébile anti-UV ;

> ustensiles de cuisine pour servir d'outils (cuiller de bois, cuiller à thé, couteau, ciseaux, etc.) ;

> arrosoir ;

> vaporisateur manuel ;

> tapis chauffant.

Notez que vous pouvez acheter tout l'attirail du parfait semeur dans toute jardinerie ou par la poste. Par contre, vous pouvez récupérer beaucoup d'objets pour faire des semis, notamment des contenants : pots et caissettes des années passées, tasses de café en styromousse, fonds de boîtes de lait, contenants de margarine et de yogourt, etc. Il faut bien nettoyer les futurs contenants à semis et y percer des trous de drainage s'il n'y en a pas. Les contenants en plastique transparent dans lesquels on vend des brioches font un excellent ensemble plateau et dôme.

Des contenants transparents de toutes sortes peuvent servir de dôme pour les semis.

La technique des semis intérieurs

Vous avez un choix important à faire quand vient le moment de faire vos semis à l'intérieur : quel contenant utiliser ? On peut faire des semis dans des contenants très différents. Voici quelques indications :

> on utilise souvent une *caissette* ou un *plateau troué* pour les graines qui produisent de petits semis, comme les oignons et les poireaux ; ainsi peut-on en semer beaucoup dans un espace réduit ;

> on peut semer les légumes à croissance rapide, comme les tomates et les poivrons, dans des caissettes, mais comme il faudrait les transplanter une ou deux fois, il est souvent plus pratique de les cultiver dans des *contenants divisés en plusieurs cellules* (alvéoles) ou dans des *petits pots individuels* de 5 cm de diamètre environ ;

> enfin, certains légumes ont des racines fragiles qui ne tolèrent pas le repiquage, comme les concombres et les melons ; on les sème dans des *godets de tourbe*. L'avantage, c'est qu'on peut planter ces contenants, qui sont biodégradables, dans le sol où ils laisseront passer les racines ; ainsi on ne dérangera pas les racines des légumes.

Notez sur l'étiquette le nom du légume, le nom de la variété et la date du semis.

Dans tous les cas, versez du terreau et de l'eau tiède dans un bol ou un seau. Si le terreau ne contenait pas de mycorhizes, ajoutez-en quelques cuillerées. Mélangez avec une grosse cuiller

Pour semer à la volée, pliez un papier en V et versez-y les graines. En tenant ce «semoir» au-dessus de la surface du terreau, à angle, tapotez doucement en le faisant avancer et les graines tomberont une par une.

pour bien humidifier le terreau. Celui-ci doit être également humide, mais non détrempé. Versez le terreau dans le contenant choisi (caissette, pot, alvéole, etc.) jusqu'à environ 1 cm du bord, en égalisant grossièrement.

Si vous semez en caissette ou en plateau, éparpillez les graines à la volée, en laissant tomber environ une graine par cm² (il n'est pas nécessaire d'être très précis). Recouvrez les graines de terreau sec ou de mousse de sphaigne broyée (si vous avez déjà eu des problèmes dè fonte des semis dans le passé, voir p. 65) selon l'épaisseur recommandée pour le légume concerné dans les fiches signalétiques, habituellement trois fois la hauteur de la graine. Vaporisez légèrement avec de l'eau tiède, piquez l'étiquette d'identification dans le terreau et recouvrez le contenant d'un dôme en plastique, ou encore placez-le dans un sac transparent.

Pour les semis en contenant individuel, creusez un petit trou au centre du pot avec la tige d'une cuiller à la profondeur recommandée (habituellement trois fois la hauteur de la graine) et déposez-y trois graines, Pourquoi trois graines alors qu'il ne faut qu'un plant par pot? C'est au cas où la germination ne réussirait pas. Avec trois graines, au moins une va lever, même dans les pires conditions. Refermez le trou et vaporisez le terreau d'eau pour le compacter légèrement. Placez les pots ou les alvéoles sur un plateau et insérez les étiquettes. Recouvrez le plateau d'un dôme de plastique ou d'un sac transparent.

COMMENT SEMER EN POT OU EN GODET DE TOURBE :

A. Percez un trou au centre à la profondeur désirée.

B. Laissez tomber trois graines dans le trou.

C. Recouvrez les graines de terreau.

DES CHAMPIGNONS AMIS

La vaste majorité des végétaux sur la Terre vivent en symbiose avec des champignons appelés mycorhizes. Ces champignons microscopiques se fixent sur les racines des plantes et, contre un peu de sucre, leur ouvrent la porte à des ressources (eau et éléments nutritifs) qu'elles sont incapables d'aller chercher d'elles-mêmes. Par ailleurs, des études semblent indiquer que les mycorhizes favorisent une meilleure résistance aux maladies et une meilleure croissance tout court. Les mycorhizes sont présentes dans presque tous les sols… mais pas dans les sols très perturbés (fréquemment labourés ou traités aux engrais trop concentrés ou à certains pesticides). À cause de ce manque possible, il est toujours sage d'ajouter des spores de mycorhizes, disponibles commercialement, quand on fait des semis ou qu'on repique des plants.

Notez que, parmi les rares familles de plantes qui ne vivent pas en symbiose avec les mycorhizes, il y a deux familles de légumes, les Cruciféracées (choux, rutabaga, radis, navet) et les Chénopodiacées (betterave, épinard). Il est inutile d'ajouter des mycorhizes sur les racines des plantes de ces familles, mais cela ne leur nuit pas non plus. Je suggère donc d'appliquer des mycorhizes de façon routinière quand vous semez des légumes ou que vous repiquez des plants achetés.

Toute forme de mycorhize, pour potager, arbre ou arbuste, annuelle, vivace ou bulbe, convient aux légumes.

Dernière petite note sur les mycorhizes : elles « prennent » mieux quand on n'applique pas d'engrais très riche en phosphore. Je suggère donc d'**éviter** les engrais ayant une proportion de phosphore (le 2e chiffre) de plus de 14 ; ce sont généralement des engrais de synthèse qui sont déconseillés dans le potager de toute façon.

Placez les plateaux recouverts de plastique dans un emplacement chaud, mais pas au plein soleil (où la température peut rapidement dépasser 40 °C à cause de l'effet de serre du dôme ou du sac) : une température de 24 °C convient bien à la plupart des semis. Vous pouvez les placer sur un tapis chauffant, par exemple. Même sur l'appui d'une fenêtre ou sous une lampe fluorescente, l'effet de serre est souvent suffisant pour atteindre cette température.

Placez le plateau recouvert de plastique transparent dans un emplacement chaud, mais pas au plein soleil.

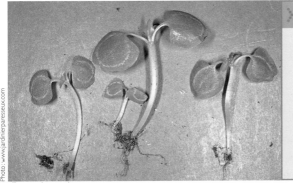

Fonte de semis.

LE GRAND ENNEMI DES PETITS SEMIS

La fonte des semis est une maladie fongique qui est la hantise des semeurs. Cette maladie, dont les spores sont transportées par l'air, arrive sans crier gare. Un jour tout va bien, le lendemain les semis sont couchés sur le côté, semblant avoir été pincés à la base, et il n'y a rien à faire pour les récupérer. Pour prévenir la fonte des semis, utilisez toujours un sac de terreau fraîchement ouvert et recouvrez les plateaux et les contenants de semis d'un dôme ou d'une feuille de plastique pour empêcher les spores d'atteindre les jeunes semis. Cette maladie est moins courante qu'autrefois, car les champignons qui causent la maladie ne semblent pas apprécier les terreaux artificiels.

Si vous avez déjà eu une infestation de fonte des semis et que vous en craignez une autre, utilisez non pas du terreau pour recouvrir les graines que vous semez, mais de la mousse de sphaigne (pas de la tourbe de sphaigne) sèche réduite en poudre en la passant au malaxeur. La sphaigne a des propriétés antifongiques qui pourraient prévenir la maladie.

A priori, les semis de légumes n'ont pas besoin de lumière pour germer ; on pourrait même les placer à la noirceur… Mais ils ont en besoin dès qu'ils commencent à apparaître. Il est donc plus commode de les placer tout de suite à la lumière. Par contre, si le seul emplacement assez chaud pour stimuler la germination se trouve à l'ombre, n'hésitez pas à placer les contenants à l'ombre… mais surveillez attentivement l'apparition des premiers germes et transférez le contenant à la lumière aussitôt que vous les apercevez.

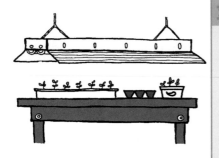

Une lampe fluorescente de type atelier peut servir à éclairer les semis à tous les stades de leur croissance.

UN SOLEIL ARTIFICIEL POUR LES SEMIS

À défaut d'avoir assez de lumière naturelle pour faire pousser les semis – et l'espace aux fenêtres manque facilement quand on en cultive en grand nombre –, on peut les faire pousser sous un éclairage artificiel. La lampe idéale pour les semis est une lampe fluorescente de type atelier, muni d'un réflecteur qui dirige la lumière vers le bas, notamment parce que ce genre de lampe, longue et horizontale, couvre une large surface de culture. Préférez une lampe à deux tubes (question d'obtenir l'intensité lumineuse nécessaire) et de longueur standard (1,2 m), dans ce dernier cas parce que les lampes et les tubes standard sont moins coûteux. Évitez les tubes « horticoles » pour semis (Agro-Lite, Gro-Lux, etc.) : ils sont trop riches en rayons rouges et tendent à favoriser l'étiolement. Il faut plutôt des tubes riches en rayons bleus, comme les tubes Cool White (blanc froid), qui sont de plus les moins chers. Suspendez la lampe au-dessus des semis à environ 15 cm de leurs feuilles supérieures : levez la lampe à mesure que les semis grandissent pour maintenir cette distance de 15 cm. Au moyen d'une minuterie, réglez la durée du jour à 14 à 16 heures… et vous voilà avec votre propre petite serre maison !

Après la germination, c'est-à-dire quand les premières feuilles apparaissent, ce qui peut prendre entre trois jours et trois semaines selon le légume, deux changements s'imposent.

D'abord, il faut enlever le dôme ou le sac de plastique. Il a joué son rôle, soit maintenir une forte humidité et une température plus égale durant la germination, et il n'est plus nécessaire.

Deuxièmement il faut augmenter l'intensité lumineuse et baisser en même temps la température. Le premier est facile : placez les semis près d'une fenêtre ensoleillée (si vous aviez placé vos plateaux sous une lampe fluorescente pendant la germination, ils peuvent y rester). Plus il y a de lumière, plus les semis seront compacts. Une température plus basse, soit environ 20 °C le jour et 15 °C la nuit, aidera aussi les plants à rester plus compacts. Si vous avez une couche froide (voir p. 69) ou une serre où la température ne baisse pas sous 15 °C (10 °C pour les choux et leurs amis), vous pouvez l'utiliser pour la culture des semis à ce stade. Si vous n'avez d'autre choix que de maintenir des « températures normales d'intérieur » pendant cette période, soit 20 °C et plus la nuit (c'est souvent un aspect de notre environnement intérieur un peu hors de notre contrôle), ce n'est pas si grave : les semis seront probablement un peu étiolés (étirés), mais ils récupéreront dans le jardin.

Durant les semaines suivantes, et jusqu'à ce que vos plants soient transplantés à l'extérieur, il faudra les arroser au besoin, quand le terreau paraîtra sec (brun plus pâle) ou sera sec au toucher. Les semis sont très fragiles, surtout au début, et les arroser directement avec un arrosoir sans pomme qui déverse son eau sur le terreau avec toute sa force pourrait les renverser. Idéalement, vous arroserez plutôt le plateau sur lequel les pots sont placés. Ainsi l'eau sera absorbée peu à peu, sans déranger les petits plants. Quand le terreau aura repris une couleur brun foncé, enlevez et videz le plateau.

On arrose les semis en versant de l'eau tiède dans leur plateau.

Aux deux semaines, diluez des algues liquides selon les recommandations sur l'emballage et vaporisez-en sur les semis. C'est un engrais très doux qui ne risque pas de brûler les semis fragiles et qui est très facilement absorbé par les feuilles.

Une fois par semaine, tournez d'un demi-tour les plateaux de semis qui sont cultivés devant une fenêtre. Cela les empêchera de pencher tous dans le même sens dans leur quête de plus de soleil.

Tourner d'un demi-tour chaque semaine les contenants de semis donnera des plants plus droits.

Quand plus d'un semis lève dans un pot individuel ou un alvéole, supprimez les moins forts. Il faut ne laisser qu'un plant par pot.

Quand les feuilles des semis cultivés dans une caissette ou un plateau commencent à se toucher, il faut choisir entre les éclaircir ou les repiquer dans un contenant plus gros. Éclaircissez si vous estimez que vous avez plus de plants qu'il vous en faut, en coupant un plant sur deux au sol avec vos ongles ou des ciseaux (n'arrachez jamais de semis, car vous pourriez déranger les autres semis de la même caissette). Éclaircissez une deuxième fois si leur feuillage recommence à se toucher avant qu'ils soient prêts à repiquer au jardin. Si le légume a un feuillage comestible, comme l'oignon, le poireau ou le chou, les plants supprimés pourront aller directement dans votre assiette ; ce sera votre première mini-récolte.

LA FLATTERIE MÈNE À TOUT !

Pour obtenir des plants bien compacts, passez votre main doucement sur les semis tous les jours, les remuant dans un mouvement de va-et-vient délicat. Ce geste qui imite le vent donne des plants aux tiges plus trapues.

Pour les semis en pot individuel ou en alvéole, supprimez en les coupant les semis en trop pour ne laisser que le plus fort.

Pour éclaircir, pincez ou coupez les semis en surplus.

Si vous pensez avoir besoin de tous les plants, repiquez-les dans d'autres caissettes, en les espaçant d'au moins deux fois la largeur d'un plant, ou dans des petits pots individuels. Assurez-vous que leur terreau est au moins un peu humide. Pour repiquer dans un pot ou une caissette, saisissez une feuille du semis entre deux doigts (ne le tenez jamais par la tige, car si vous l'écrasiez malencontreusement, le plant mourrait, alors que si vous écrasez une feuille par accident, il aura vite fait de la remplacer), glissez une cuiller ou un crayon sous les racines de la plante et, soulevez doucement. Transférez-le sans tarder dans le pot et centrez-le. Dans le cas d'une caissette, repiquez-le selon l'espacement désiré. Normalement on repique les semis au même niveau que dans leur contenant d'origine. Comblez maintenant avec du terreau humide, en compactant doucement. Pour finir, arrosez en plaçant le pot ou la caissette dans un bac d'eau tiède, puis drainez le surplus d'eau.

Les semis individuels dans des petits pots peuvent aussi manquer d'espace avant la fin de leur saison de croissance. Pour savoir si un repiquage s'impose, renversez délicatement un pot et sortez le semis avec sa motte de racines. Si la motte est complètement remplie de racines, rempotez ce semis et les autres dans des pots plus gros.

Le cas des semis en godets de tourbe est similaire, sauf que vous n'aurez pas besoin de les dépoter. Quand vous voyez que la paroi perméable du pot est bien couverte de racines, repiquez le semis, godet compris, dans un godet de 10 à 12 cm, en enterrant complètement le godet.

A. Pour repiquer un jeune semis, tenez-le par une feuille et soulevez-le avec une cuiller ou un crayon.

B. Transférez le semis dans un pot plus gros, en le centrant bien, et comblez avec du terreau humide.

Plus d'espace

Quand les semis sont jeunes, ils ne prennent pas trop d'espace, mais au fur et à mesure que vous les repiquez dans des pots plus gros, ils en prennent de plus en plus et l'espace disponible est vite comblé. Vous avez la possibilité d'en placer sous des lampes fluorescentes (voir p. 66). Sinon, voici deux autres possibilités :

> **Les placer dans une petite serre.** Je ne parle pas nécessairement d'une serre permanente, mais plutôt d'un modèle de petite taille qu'on monte à la fin de l'hiver pour les semis. Sa structure peut être en bois, en PVC ou en tout autre matériau solide mais léger, et souvent on la recouvre d'une feuille de polyéthylène tout simplement. Il faut toutefois attendre que les températures nocturnes dans la serre se maintiennent au-dessus de 5°C avant d'y placer les légumes les plus tolérants au froid, comme les choux, la laitue, les oignons et les poireaux, et au-dessus de 13°C la nuit pour les légumes frileux, comme les tomates, les piments, les aubergines, les courges et les concombres. À cette fin, il est utile d'équiper la petite serre d'un thermomètre à minima-maxima où vous pouvez vérifier chaque matin la température minimale atteinte durant la nuit. Il est surprenant de constater à quel point une serre pourtant sans source de chaleur extérieure peut chauffer au printemps. Très souvent, à la fin d'avril ou au début de mai, elle peut déjà accueillir des plants de tomate. Notez qu'il faut quand même exercer une surveillance étroite, notamment ouvrir la porte ou une paroi par journée chaude pour évacuer la chaleur excessive.

Une petite serre démontable peut accueillir de nombreux semis.

> **Les placer dans une couche froide.** Une couche froide est une structure basse à toit vitré posée sur le sol et souvent faite de quelques planches (les parois) recouvertes d'un vieux châssis de fenêtre, bien qu'il existe des modèles plus sophistiqués. Le toit doit pouvoir être levé ou enlevé durant les journées chaudes. Comme elle est peu haute et moins exposée au vent qu'une serre, et qu'elle profite davantage de la chaleur géothermale naturelle, elle se réchauffe plus tôt au printemps et conserve mieux sa chaleur la nuit.

L'acclimatation

C'est une étape cruciale dans la production de semis de légumes, car si on n'acclimate pas nos plants correctement, ils brûleront rapidement au soleil.

Un signe qu'il est temps de commencer à acclimater les semis aux conditions d'extérieur est le gazon qui commence à verdir. Sortez-les et placez-les dans un emplacement ombragé au début. Rentrez-les le soir si la température s'annonce fraîche, mais ressortez-les le lendemain dans un emplacement un peu plus ensoleillé… et augmentez l'éclairage de jour en jour jusqu'à ce que, après une semaine ou deux, il se soient acclimatés au soleil. Quand les températures nocturnes commencent à se maintenir au-dessus de 10°C, vous pouvez les laisser à l'extérieur toute la nuit.

La transplantation

La suite naturelle de la production de semis est leur transplantation au jardin ou en bac. On transplante aussi les plants achetés en caissette ou en pot.

Le moment pour le faire varie d'un légume à un autre : c'est parfois plusieurs semaines avant la date du dernier gel (voir p. 62), parfois quelques semaines après, selon la capacité du légume à supporter le gel ou la fraîcheur, ou encore son besoin absolu d'une bonne chaleur. C'est au moment normalement prévu pour leur transplantation qu'il est le plus facile de savoir s'il est « sans danger » de les sortir. Si, par exemple, le printemps semble précoce et qu'on n'annonce pas de froid au cours des semaines à venir, vous pouvez devancer leur horaire. Si au contraire le printemps est froid et que les nuits demeurent gélives même à la date du dernier gel prévue, vous retarderez évidemment la transplantation des plants frileux.

Idéalement, vous transplanterez vos légumes en pleine terre par une journée fraîche et grise pour provoquer le moins de stress possible chez les plants (les transplanter est toujours un choc pour leur système). Un coup d'œil à la météo peut vous aider à choisir le bon moment, de préférence lorsqu'on annonce du temps semblable, voire pluvieux, pour les prochaines journées. Sinon, songez à faire la transplantation en soirée, quand le soleil est plus faible. Cela laissera au moins toute la nuit et une partie de la matinée aux plants pour récupérer de leur dure épreuve.

La veille de la transplantation, arrosez le potager si il paraît sec au toucher et arrosez aussi les plants. C'est qu'il est plus facile de creuser des trous de plantation dans un sol légèrement humide. La motte de racines a également davantage tendance à rester intacte si elle n'est pas desséchée, et elle se détachera plus facilement des parois de son contenant.

POUR SORTIR DES LÉGUMES D'UNE CAISSETTE :

I. Renversez le contenant pour dégager la motte de racines.

2. Séparez chaque plant en l'arrachant avec vos doigts...

3. ... ou coupez entre les plants.

Dans le cas des semis cultivés en caissette ou en plateau, il faut bien sûr les séparer avant la plantation. Pour ce faire, glissez les doigts d'une main à travers les plants de façon à pouvoir supporter la motte sans les écraser, puis renversez la caissette. Tapez solidement sur le dessous de la caissette avec la paume de votre main pour aider à dégager la motte, puis enlevez la caissette. La motte vous restera dans la main. Remettez-la à l'endroit, par terre. Vous pouvez maintenant tirer sur chaque plant pour le dégager ou découper la masse en mottes individuelles à l'aide d'un couteau ou d'un autre objet tranchant.

Pour les plants cultivés dans des petits pots, utilisez la même technique : tapez sur le dessous du pot pendant que vous supportez la motte de racines avec vos doigts, et elle vous restera dans les mains.

C'est encore plus facile avec les semis cultivés en alvéole flexible. Glissez les doigts d'une main autour du plant de façon à pouvoir bien le supporter, puis renversez le contenant. Maintenant, pesez sur le fond flexible du contenant avec votre pouce et le plant devrait sortir sans problème.

Enfin, on n'a même pas à sortir les semis cultivés en godets de tourbe de leur pot : on les plantera pot inclus, car ses parois sont perméables aux racines. Il suffit de séparer les godets s'ils sont joints à leur sommet comme c'est parfois le cas.

Préparez un trou de plantation individuelle pour chaque plant selon l'espacement suggéré dans sa fiche de la deuxième partie. Écartez d'abord le paillis, puis plongez le transplantoir dans le sol à la bonne profondeur, le creux de la lame vers vous, et, dans un mouvement d'aller-retour, formez rapidement un trou de transplantation.

Quand le trou a la profondeur désirée, placez la motte de racines au fond et comblez le trou avec de la terre. Arrosez bien. Maintenant, recouvrez de paillis l'espace entre les plants et voilà : vous avez complété la transplantation !

Pour sortir un légume d'un alvéole, il suffit de presser sur le fond du contenant.

LORS DE LA TRANSPLANTATION :

1. Écartez le paillis et creusez un trou de la bonne profondeur.

2. Centrez le semis dans son trou, comblez, arrosez et replacez le paillis.

UNE PROFONDEUR VARIABLE

Normalement on transplante les semis en pleine terre à la même profondeur qu'ils avaient en pot. C'est le cas de la laitue, de la bette à carde, de l'oignon, du melon, etc. Par contre, rechaussez les plants de la famille des Crucifères (chou, chou-fleur, brocoli, etc.) jusqu'aux premières feuilles à la base de la tige afin de les solidifier ; même chose pour le poireau. Quant aux Solanacées (tomate, aubergine, piment, poivron et cerise de terre), on peut couper les cotylédons (premières feuilles qui apparaissent à la germination, physiquement différentes des « vraies feuilles » qui suivent) et les enterrer jusqu'à la base des premières vraies feuilles, car ces plantes ont la capacité de s'enraciner à partir de la partie de la tige qui est enterrée. La tomate est la championne sur ce plan. Si vos semis de tomates paraissent un peu étiolés, enlevez les feuilles inférieures jaunies ou moins belles, ne conservant qu'une longue tige nue avec quelques feuilles à l'extrémité. Maintenant, plutôt que de planter ces tomates debout, creusez une tranchée et couchez-les sur le côté, en laissant seulement les feuilles dépasser et en recouvrant par la suite la tige nue. Des racines pousseront sur la partie enterrée, vous donnant un plant encore plus solide qu'un plant de tomate planté normalement.

On peut planter les tomates sur le côté, en enterrant la tige nue et en ne laissant que la partie supérieure dépasser du sol.

Il est très important d'enterrer complètement les godets de tourbe, car si leur paroi supérieure est exposée à l'air, elle agira comme une mèche, asséchant la plante par temps sec. Si jamais vous devez planter un godet de façon qu'une partie de sa paroi demeure dégagée, coupez-en l'excédent avec vos doigts. Évidemment, comme pour toute transplantation, terminez celle des godets de tourbe en arrosant bien et en replaçant le paillis.

Si vous transplantez par une journée ensoleillée, il reste une étape : recouvrez les plants transplantés de papier journal (une ou deux feuilles suffisent) et tenez-le en place avec des pierres. Cette couverture temporaire, que vous enlèverez après deux jours, protège les jeunes plants des rayons trop intenses du soleil au moment où leurs racines sont encore très fragiles.

Pour les légumes qui aiment *vraiment* la chaleur, comme les melons et les aubergines, il est utile de placer un tunnel ou un autre abri en plastique (voir p. 59-60) par-dessus les plants. Dans les régions aux étés froids, c'est également nécessaire pour les tomates, les poivrons et les courges. Il faut toutefois ouvrir l'abri ou l'enlever au moment de la floraison pour permettre aux abeilles de pénétrer et de faire leur travail de pollinisation.

TECHNIQUE DES SEMIS EXTÉRIEURS

Nous avons vu qu'il faut semer certains légumes (comme les tomates et les poivrons) à l'intérieur ou encore acheter des plants à transplanter au potager, et que pour d'autres légumes, comme les concombres, le semis à l'intérieur est une option. Il reste cependant beaucoup de légumes (carottes, navets, épinards, etc.) qu'on sème uniquement en pleine terre.

On fait les semis en pleine terre à différents moments : dès que le sol peut être travaillé pour certains (notamment les épinards), un peu avant la date du dernier gel prévue pour d'autres, à cette date même ou après pour d'autres encore, au cours de l'été et même à l'automne pour quelques-uns. Pour plusieurs légumes, il est possible de faire des semis successifs du printemps parfois jusqu'à la fin de l'été. Il faut donc consulter la fiche de chaque plante pour savoir à quel moment faire le semis.

Remarquez qu'il est encore plus important de semer un petit surplus de graines en pleine terre que dans la maison. Les caprices de la nature font en sorte que la germination y est souvent plus irrégulière ou plus faible qu'en pot. Ce surplus est un genre d'assurance-récolte.

Quand vous faites des semis en pleine terre, ayez à votre portée un transplantoir, un râteau de jardin, des piquets et de la corde (pour la culture en rangs), des étiquettes et un crayon indélébile anti-UV, ainsi qu'un arrosoir avec une pomme ou un tuyau avec une lance d'arrosage réglée à « pluie ». Il est pratique d'avoir en main un livre ou des notes qui fournissent trois détails importants :

> **la profondeur du semis ;**

> **l'espacement des semis ;**

> **l'espacement entre les rangs (qui correspond à l'espacement entre les plants si vous semez en quinconce).**

Vous trouverez ces renseignements dans la fiche de chaque légume dans la deuxième partie.

Voyons maintenant comment faire des semis en pleine terre.

Semis un par un

Quand on veut faire une culture en quinconce ou intercalaire, il est souvent plus pratique de faire des semis un par un. C'est notamment le cas des légumes avec des graines assez grosses pour les manipuler facilement avec les doigts, comme les courges, les pois et les haricots

I. Écartez le paillis.

2. Creusez un trou correspondant à la profondeur recommandée pour la graine. Vous pouvez faire le trou avec un transplantoir ou même votre doigt.

3. Déposez trois graines dans le trou.

4. Couvrez de terre.

5. Arrosez bien.

6. Si plus d'un semis lève, supprimez les semis en trop. Quand les semis sont assez gros, replacez le paillis.

Semis à la volée

On fait des semis à la volée pour couvrir des petits carrés ou des ronds de légumes, notamment dans la culture en carrés, ou pour faire une «tache de couleur» dans un aménagement comestible.

Écartez le paillis de la surface à couvrir avec un râteau.

Éparpillez les graines aussi également que possible. Râtelez légèrement pour les faire pénétrer et arrosez bien. Quand les semis sont assez gros, replacez le paillis.

Semis en rang

On procède souvent à des semis en rang lorsqu'on choisit de faire une culture en rangs sans interligne.

1. Écartez le paillis au râteau.

2. Tracez un sillon à la profondeur recommandée avec un bâton ou le coin du râteau. Pour obtenir une ligne très droite, tendez une corde entre deux piquets et suivez la ligne ainsi dessinée.

3. Déposez les graines selon l'espacement recommandé.

4. Utilisez le râteau pour recouvrir légèrement le sillon de terre.

5. Arrosez bien.

6. Quand les semis sont assez gros, replacez le paillis.

Éclaircissage

Si la germination des graines est le moindrement bonne, les semis faits en pleine terre auront besoin d'éclaircissage, car trop de plants lèveront. Il faut aussi éclaircir des légumes plantés trop densément, sinon ils ne pourront se développer pleinement.

Très souvent l'éclaircissage est l'occasion d'une vrai régal, car tous les légumes-feuilles (laitues, épinards, brocoli, etc.) ont des feuilles ou des pousses comestibles, et c'est même le cas de certains légumes-racines (betterave et oignon, notamment). On peut souvent éclaircir en deux étapes : une première fois quand les semis commencent à se toucher et une deuxième fois quand les plants ont grossi et que les feuilles commencent à se toucher de nouveau, car il faut toujours que les plants aient suffisamment d'espace pour atteindre leur pleine taille si on veut avoir une récolte plus abondante.

On peut d'ailleurs planifier cet éclaircissage en étapes, expressément dans le but d'augmenter la récolte. Par exemple, on sème ou même on repique souvent les oignons densément afin de récolter les plants éclaircis comme oignons verts pour la cuisine ; les plants non éclaircis restent alors sur place et forment des bulbes qui seront prêts à récolter à la fin de l'été. Chez les carottes, le premier éclaircissage ne donne rien à manger, car les feuilles ne sont pas comestibles et la petite racine n'a pas encore formé de carotte ; au moment du deuxième éclaircissage, vous avez de délicieux bébés-carottes ; et à la fin de l'année, vous obtenez de grosses carottes pour la conservation. Les betteraves font encore mieux que les oignons et les carottes : quand on les sème densément, on obtient trois récoltes/éclaircissages : un premier éclaircissage donne des feuilles à manger (les feuilles de betterave sont comestibles), le deuxième donne encore des feuilles mais aussi de petites betteraves tendres, et le troisième, au moment où les feuilles sont devenues coriaces, donne de belles grosses betteraves pour la conservation.

Comment éclaircir ? Coupez tout simplement les plants éclaircis au sol avec des ciseaux ou un sécateur.

COMMENT CONSERVER DES SEMENCES

Après avoir terminé l'ensemencement, remettez tout surplus de semences dans son enveloppe et repliez le rebord deux ou trois fois. Scellez maintenant le sachet avec du ruban adhésif.

Placez les sachets dans un bocal et, avant de le refermer, préparez un petit sachet de lait écrémé en poudre (un coin d'enveloppe fait un excellent sachet) ou de gel de silice, et déposez-le aussi dans le bocal, puis scellez celui-ci. Le lait en poudre et le gel de silice ont tous deux la propriété d'absorber tout surplus d'humidité qui pourrait autrement raccourcir la vie de vos graines.

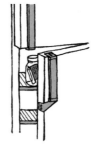

A. Repliez et scellez le sachet de semences.

B. Enfermez-le dans un bocal.

C. Placez le bocal au réfrigérateur.

Enfin, mettez le bocal au réfrigérateur. Vous venez de fabriquer un petit appareil de conservation des semences qui est très facile à faire et est quand même très efficace.

La durée de conservation des semis de légumes est indiqué dans la deuxième partie, dans la fiche signalétique de chaque légume. Si vous avez des graines qui ont dépassé la durée de conservation normale, ne gaspillez pas d'espace et de terreau à les semer sans savoir si elles sont encore bonnes. Faites plutôt un test de germination auparavant.

On peut faire un test de germination pour savoir si de vieilles graines sont encore bonnes.

Placez 10 graines sur un morceau d'essui-tout, pliez le papier en deux par-dessus les graines et humidifiez-le à peine. Placez le papier dans un sac de plastique dans un endroit chaud. Après 3 à 21 jours (selon le type de graine), il devrait y avoir germination. Si sept graines ou plus ont germé, c'est que les graines sont encore en très bon état et que vous pouvez les semer de façon normale. Si quatre à six graines ont germé, leur pouvoir germinatif est affaibli mais encore raisonnable : semez-les deux fois plus densément que recommandé normalement. Si trois graines ou moins ont germé, les graines sont réellement périmées et il ne vaut probablement pas la peine de les conserver.

ENTRETIEN ESTIVAL DU POTAGER

Votre potager est désormais semé et planté, les plantes sont bien paillées. Le « pire » est fait et vous vous attendez à une belle récolte. Mais il reste encore un peu d'entretien à faire durant le reste de la saison.

Arrosage

Maintenant que vos plants sont en terre dans un bon sol et exposés au soleil, l'arrosage devient la tâche la plus importante. Évidemment, si le sol est correctement paillé et s'il pleut régulièrement, les besoins en arrosage seront moindres. Bonne nouvelle, les légumes ont tous à peu près les mêmes besoins en eau. Contrairement aux fleurs de plate-bande, où l'on essaie parfois de combiner des plantes qui ont des préférences très différentes, vous pouvez cultiver sans peine tout légume avec tout autre légume : leurs besoins en arrosage seront pratiquement identiques.

Il reste que les légumes sont de vraies divas en matière d'arrosage : pour être productifs, il leur faut une humidité du sol presque constante et ils consomment plus d'eau que la plupart des autres plantations. Plusieurs des « problèmes » avec les légumes sont imputables directement soit à des périodes de sécheresse où ils n'ont pas été arrosés adéquatement, soit à des arrosages en dents de scie où ils ont subi une série de stress hydriques ; il en est résulté des concombres amers, des tomates qui fendent, des betteraves dures, etc.

Notez que les besoins en eau des légumes cultivés en pot sont autrement plus importants que ceux des légumes cultivés en pleine terre. C'est pourquoi l'arrosage des légumes en pots est abordé séparément, aux pages 36-38.

Déterminer le besoin d'arrosage

Répétons ici que le paillis (voir p. 24) aide grandement à modérer les sautes d'humeur de Dame Nature, tout comme l'utilisation de mycorhizes, mais quand il n'a pas plu, ou seulement très peu, depuis quatre à cinq jours, il faut vérifier l'état du sol. Il ne suffit pas d'attendre que le feuillage des légumes se fane, car cela indiquerait qu'ils sont déjà dans un état de stress ; écartez plutôt le paillis et enfoncez votre index dans le sol jusqu'à la deuxième jointure. C'est facile ! Si le sol vous paraît sec, vous arrosez ; s'il est humide, vous n'arrosez pas ; s'il semble entre humide et sec, tout probablement que c'est demain qu'il faudra arroser.

Il est quand même utile que le sol en surface atteigne une certaine sécheresse, c'est-à-dire qu'il soit sec « au toucher » avant d'arroser, car cet état permet à l'air de circuler dans le sol ; quand le sol est toujours très humide, l'air n'y pénètre pas. Au stade où le sol est sec au toucher en surface, il est encore légèrement humide plus en profondeur, et vous n'avez donc pas à craindre que les racines en souffrent, du moins pas encore.

Quand arroser ?

Si possible, arrosez tôt le matin. L'air est alors plus frais et le soleil moins intense, ce qui permet à l'eau de pénétrer dans le sol en profondeur plutôt que de s'évaporer. De plus, le soleil levant va assécher les feuilles assez rapidement, ce qui est une bonne chose, car les feuilles qui restent mouillées longtemps sont plus vulnérables aux maladies. Le deuxième moment propice se situe en fin d'après-midi, avant que le soleil baisse. Les températures sont plus chaudes et il y a plus de perte d'eau à l'évaporation, mais le feuillage aura le temps de sécher avant l'arrivée de la nuit. Les arrosages au milieu de la journée, quand le soleil plombe, sont presque du pur gaspillage : souvent la majeure partie de l'eau appliquée s'est évaporée avant même d'arriver aux racines. L'arrosage en soirée permet à l'eau de bien s'infiltrer dans le sol, il est donc efficace au sens où les plants seront bien abreuvés, mais l'eau appliquée tend à rester toute la nuit sur le feuillage, ce qui accroît les risques de maladies.

Quelle quantité d'eau ?

Le but de tout arrosage est d'humidifier le sol en profondeur. Il vaut mieux que les légumes reçoivent un ou deux bons arrosages profonds hebdomadaires qui vont humidifier au moins les 20 premiers centimètres du sol que plusieurs petits arrosages quotidiens. Les légumes croissent plus rapidement et demandent plus que les autres végétaux ; les légumes en planche surélevée, encore davantage. Il ne faut pas en être surpris : les planches surélevées sont plus productives que les autres formes de culture… et une plus grande productivité exige beaucoup plus d'eau. Il faut environ 3 à 5 cm d'eau par semaine pour maintenir une bonne humidité du sol à cette profondeur, soit jusqu'à deux fois plus que pour un gazon ou une plate-bande.

Une façon de savoir si vous avez arrosé suffisamment est la formation de flaques d'eau sur le sol qui durent plus de 15 à 20 secondes. C'est signe que le sol contient tout ce qu'il peut, pour l'instant. Arrêtez et faites un test d'arrosage (voir l'encadré).

TEST D'ARROSAGE

La seule véritable façon de savoir si une terre a été suffisamment arrosée consiste à creuser un petit trou de 25 cm de profondeur dans le sol. Comme un sol humide est plus foncé qu'un sol sec, vous saurez instantanément si l'eau a atteint la profondeur désirée de 20 cm. Si la couche humide mesure moins de 20 cm, vous n'avez pas assez arrosé. Arrosez plus longtemps la prochaine fois.

On peut savoir par la couleur du sol si suffisamment d'eau y a pénétré.

Un simple verre muni d'une petite règle fait un excellent pluviomètre.

Photo : www.jardinierparesseux.com

Si vous arrosez par aspersion ou s'il pleut, il est possible de vérifier la quantité d'eau appliquée à l'aide d'un pluviomètre. Vous pouvez acheter un pluviomètre gradué, bien sûr, mais un verre à parois droites fera très bien l'affaire (évitez les verres à parois inclinées : ils captent plus d'eau qu'un verre à parois droites, ce qui fausse les résultats). Placez-le dans le potager et insérez-y une petite règle en plastique. Quand il y a 3 cm d'eau, vous avez assez arrosé pour cette session… mais s'il ne pleut pas, il sera probablement nécessaire d'arroser de nouveau dans quatre à cinq jours.

Si vous arrosez par irrigation, il est moins facile de savoir si assez d'eau a pénétré dans la terre. Commencez par une irrigation d'une heure, puis vérifiez en effectuant le test d'arrosage (voir l'encadré à la page 77). S'il n'y en a pas assez, irriguez encore et vérifiez de nouveau. Vous apprendrez assez rapidement combien de temps il faut laisser votre système fonctionner dans vos conditions pour que l'eau atteigne la profondeur désirée.

POUR CAPTER L'EAU DE PLUIE

Pourquoi laissez l'eau qui s'écoule de votre toit disparaître dans un drain pluvial ? Récoltez-la en installant une citerne (un tonneau ou une poubelle de plastique, par exemple) sur la descente de la gouttière. Munissez-la d'un robinet (facile à installer) et vous aurez de l'eau gratuite la prochaine fois que vous aurez besoin d'eau. Vous pouvez en remplir l'arrosoir ou y fixer un tuyau perforé (pas besoin qu'il fonctionne à pression, contrairement aux autres systèmes d'irrigation).

On peut utiliser l'eau qui s'écoule du toit pour arroser le potager.

Les outils d'arrosage

L'arrosoir avec pomme, passe au second plan quand l'été s'installe. Il est toujours utile pour les « petites urgences », mais il est illusoire de penser arroser un potager de taille importante avec un arrosoir, car il faut arroser *beaucoup* pour être efficace, ce qui exige *beaucoup* d'allers-retours à la citerne ou au robinet.

La **lance d'arrosage** est le moins efficace des outils d'arrosage après l'arrosoir. C'est qu'il faut rester longtemps debout à arroser la même section de plate-bande avant d'avoir appliqué 3 cm d'eau sur toute sa surface : en fait, tant que votre pluviomètre n'indique pas 3 cm d'eau, votre arrosage n'est pas efficace. La plupart des gens arrêtent après quelques minutes, satisfaits d'avoir « tout mouillé », mais le sol est à peine humide en surface. Si c'est toute l'eau que le potager reçoit, sa production de légumes en souffrira. De plus, comme arroser par lance humidifie le feuillage en même temps que le sol, il y a des risques qu'il contribue à la propagation des maladies.

L'arrosage par aspersion, au moyen de l'un des nombreux modèles d'arroseur, est probablement la technique la plus utilisée pour arroser les potagers. Il y a des modèles oscillants, rotatifs, à pulsion, etc., mais la plupart ont un défaut pour le potager : ils ont été conçus pour arroser une surface plane, c'est-à-dire le gazon, lançant leur eau plutôt parallèlement au sol, et ils ne sont pas très efficaces dans un potager où les plantes ont de la hauteur, comme les légumes. Avec ces systèmes, soit les plantes à l'arrière du potager ont toujours soif, soit on noie les légumes au premier plan en tentant de bien arroser ceux de l'arrière.

Arrosage à l'arrosoir : assommant !

Une solution facile consiste à surélever l'arroseur au-dessus du feuillage des plantes. On voit parfois des gens fixer leur arroseur sur un piquet… mais il est encore bien plus facile d'utiliser une « tour d'arrosage », c'est-à-dire un arroseur monté sur une tige ou un trépied.

Il faut bien régler votre arroseur pour qu'il arrose tout le potager, mais seulement le potager, et ce n'est pas évident. L'arrosage par aspersion gaspille presque toujours beaucoup d'eau à arroser allées, gazons, aires de stationnement et autres surfaces proches.

Comme les lances d'arrosage, les arroseurs humidifient le feuillage et peuvent propager des maladies. Il vaut toujours mieux les faire fonctionner tôt le matin.

La plupart des arroseurs sont conçus pour arroser un gazon : l'eau est bloquée par les plants au premier plan, laissant à sec les légumes au fond du potager.

Le **tuyau poreux** (tuyau suintant) est l'un des systèmes d'irrigation les plus efficaces. Fait de pneus recyclés, ce tuyau est percé de multiples microperforations. Quand on ouvre l'eau, celle-ci se répand tout autour du tuyau… mais ce ne sont pas des jets d'eau, que des petites gouttes. Le tuyau est posé sur le sol avant l'application du paillis, puis recouvert de paillis. Il arrose de façon invisible avec à peu près aucune perte à l'évaporation (il y a une petite perte à l'évaporation si le tuyau n'est pas couvert de paillis). Il est peu coûteux (environ 13 $ pour un tuyau de 15 m au moment où ce texte est écrit en 2007) et l'on peut fixer jusqu'à trois tuyaux (45 m) bout à bout. C'est plus qu'il en faut pour la plupart des potagers !

Il y a plusieurs façons d'installer un tuyau poreux. La plus facile consiste à le faire serpenter entre les plantes, tout simplement. En faisant des boucles d'environ 90 cm de long, espacées de 30 cm,

Avec une tour d'arrosage, l'eau est aspergée de plus haut que les plantes et arrive à atteindre même les plantes au fond du potager.

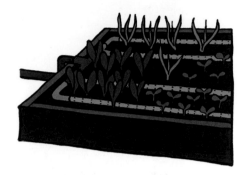

On peut installer un tuyau poreux en le partageant en trois ou quatre sections égales sur toute la longueur du potager.

On trouve facilement des nécessaires comprenant des raccords différents (en T et en coude) ainsi que des bouchons pour l'installation des tuyaux poreux.

vous pourriez couvrir les besoins en arrosage d'un potager de 1,2 m de large sur environ 3,6 m de long avec un tuyau de longueur standard (15 m), soit la longueur du modèle de planche surélevée présenté à la page 29.

On peut également partager un tuyaux poreux en sections et les assembler au moyen de raccords en T et en coude de façon à utiliser encore moins d'eau, comme on le voit dans l'illustration, car l'arrosage sera alors plus précis. Il faut bien sûr poser un bouchon à la fin de chaque ligne.

Normalement il faudrait arroser pendant environ 70 minutes pour que l'eau atteigne 20 cm de profondeur, mais vous devrez faire des essais chez vous en creusant un trou dans le sol après un arrosage pour vérifier jusqu'où l'eau a pénétré.

Le tuyau poreux peut être installé en permanence et ne demande aucun entretien. Contrairement aux tuyaux d'arrosage, il n'est pas nécessaire de le rentrer pour l'hiver, car il est complètement permable et ne retient aucune eau (c'est l'eau restée dans le tuyau d'arrosage laissé à l'extérieur pendant l'hiver qui le fait éclater par suite des gels). La garantie habituelle est de 10 ans, mais l'expérience montre que, en fait, ils durent beaucoup plus longtemps.

J'ai présenté l'**irrigation goutte-à-goutte** dans la section sur le potager en contenant, mais sachez qu'on peut installer un système assez semblable dans le potager surélevé. Mais nul besoin de tuyaux spaghettis dans la version pour le sol! On installe le dispositif exactement comme dans l'illustration ci-dessus, soit avec des raccords et des bouchons. La différence la plus importante est que le tuyau n'est pas perforé : on pose soi-même des goutteurs, vendus avec le nécessaire d'irrigation, à intervalles réguliers le long du tuyau. Suivez tout simplement le mode d'emploi du nécessaire que vous avez acheté pour connaître l'espacement recommandé des goutteurs.

Je préfère toutefois le tuyau poreux au goutte-à-goutte pour le potager, car il peut rester en place l'hiver et est peu sujet aux bris. Il faut démonter et rentrer les tuyaux goutte-à-goutte l'hiver, car il ne se drainent pas complètement et peuvent être endommagés quand l'eau qu'ils contiennent gèle. Par ailleurs, les goutteurs se bouchent avec le temps et doivent être nettoyés ou remplacés, ce qui exige plus d'entretien.

Il existe des dizaines de systèmes d'irrigation et des goutteurs à débit différent. Il faut donc essayer une nouvelle installation une ou deux fois pour connaître la durée d'arrosage nécessaire à chaque session.

On peut automatiser l'arrosage du potager à différents degrés. Par exemple, il existe plusieurs minuteries manuelles qui ferment l'eau à la fin d'une session. Vous devez toujours être là pour ouvrir l'eau et démarrer la minuterie, mais du moins vous pouvez vaquer à d'autres occupations pendant l'arrosage sans avoir peur d'oublier de retourner fermer le robinet au bon moment. On peut utiliser une telle minuterie sur les systèmes d'irrigation par aspersion, sur les tuyaux perforés et sur les systèmes d'irrigation goutte-à-goutte.

Il est possible d'automatiser les dispositifs d'arrosage bien davantage avec des minuteries électroniques. On peut les programmer pour l'été en choisissant d'avance le ou les jours de la semaine où le système va arroser et la durée de l'arrosage. Il faut toujours adjoindre à ces systèmes un humidimètre ou un détecteur de pluie. Les deux fonctionnent de façon opposée pour arriver au même but. L'humidimètre lance un arrosage quand il détermine que le sol est trop sec ; le détecteur de pluie annule la session d'arrosage lorsqu'il considère qu'il a assez plu. On utilise surtout la minuterie électronique sur les tuyaux perforés, sur les systèmes d'irrigation goutte-à-goutte et sur d'autres systèmes d'irrigation.

Fertilisation d'appoint

Tel que mentionné dans *Un légume, qu'est-ce ça mange le matin ?* (voir p. 44-45), je ne suis pas un fervent adepte de la « fertilisation comme solution aux problèmes du sol », pas plus que je crois que les taux de N-P-K sur l'étiquette veulent dire grand-chose. Les engrais ne sont que des éléments nutritifs, faciles à ajouter, mais vite disparus, très polluants (oui, même les engrais organiques !). Il vaut beaucoup mieux améliorer la qualité du sol en ajoutant abondamment de la matière organique, suffisamment riche en éléments nutritifs pour les légumes. Bien des jardiniers prennent les engrais pour des produits miracles qui règlent tous les problèmes, alors qu'ils sont même nuisibles au sol du potager. Augmentez le taux de matière organique du sol, puis maintenez-le, voilà le vrai secret de la culture des légumes ! Ainsi je suggère fortement d'appliquer les préceptes du RESPECT (voir p. 8), en commençant dans un bon sol et en maintenant le sol riche avec de la matière organique (paillis qui se décomposent, compost, etc.).

Cela dit, une certaine fertilisation d'appoint peut s'avérer utile, surtout si on a débuté dans un sol de qualité douteuse. Il n'y a pas de problème majeur à ajouter, tôt au printemps, sur le paillis (pas besoin de le faire pénétrer : la pluie et les arrosages feront ce travail gratuitement), un engrais biologique à dégagement lent. Engrais pour potager, engrais pour vivaces ou engrais pour rosiers, c'est pratiquement la même chose, et je vous suggère de porter peu attention à ce détail. D'ailleurs, les engrais les plus honnêtes sur le marché sont étiquetés « tout usage » ; on n'a jamais aussi bien dit ! Recherchez un engrais *organique*, à *dégagement lent* et *complet* (c'est-à-dire contenant une gamme complète d'oligo-éléments).

Au cours de l'été, il arrive (mais très rarement) que certains légumes montrent des signes de croissance retardée, de jaunissement, de rougissement ou d'empourprement, de feuillage déformé, etc. Si c'est le cas, je suggère fortement de faire faire une analyse de sol (voir p. 41) l'automne suivant, car il se passe des choses anormales (le sol commence peut-être à devenir trop acide ou trop alcalin) et il vaut mieux savoir où se trouve le problème. En attendant, vaporisez sur le feuillage des plantes atteintes des algues liquides ou une émulsion de poisson. Ces deux engrais contiennent tous les éléments nécessaires à la croissance des plantes, incluant des oligo-éléments dont les plantes ont besoin en très petites quantités, et ils agissent rapidement, dans les jours suivant leur absorption. Continuez d'en appliquer jusqu'à la fin de la saison, même si le problème semble disparaître.

Jardinage à la verticale

On gagne beaucoup à faire monter les légumes rampants ou grimpants sur un support, car on gagne beaucoup d'espace au sol. On peut cultiver une tomate tuteurée dans moins de la moitié de l'espace d'une tomate non tuteurée, et un melon dans un quart de l'espace. De plus, comme les fruits ne touchent pas au sol, ils sont davantage à l'abri des bestioles comme les limaces et moins sujets à la pourriture que les fruits qui reposent sur le sol. Et ils sont souvent plus « beaux » que les fruits au sol : plus droits dans le cas des concombres, moins aplatis dans le cas des courges, etc. Enfin, les fruits surélevés sont plus faciles à récolter, car on n'a plus besoin de se pencher.

Le tuteur le plus ancien est sans doute une simple **branche enfoncée dans le sol**. Elle n'est pas assez solide pour des tomates, mais elle fait un excellent support pour des pois ou, si elle est assez haute, pour des haricots à rames.

Le **tipi de perches** est presque aussi ancien. Il suffit d'assembler trois perches ou plus à leur sommet et de les fixer dans le sol, ce qui forme une espèce de charpente de tipi. Semez des haricots à rames au pied de chaque perche et les plantes monteront d'elles-mêmes sur le support grâce à leurs tiges volubiles. Le tipi est moins commode pour les autres légumes à tuteurer, car leurs tiges ne s'agripperont au support que si vous les y fixez.

Le tuteur le plus populaire est sans doute le **tuteur droit** (en bois, en métal ou fait maison à partir de branches) ou sa variante, la **tige de bambou**… que je déconseille. Il est difficile de fixer des tiges à ces « poteaux » lisses : souvent les tiges se mettent à glisser vers le bas. De plus, comme il faut justement « fixer » les plants sur ces tuteurs, cela exige plus de travail de votre part. Il faut également supprimer la plupart des branches secondaires, car on peut difficilement maintenir plus de trois tiges par tuteur, et cette taille réduit nécessairement la récolte.

Si vous utilisez de tels tuteurs, il vous faudra des **attaches** : les légumes ne s'y fixent pas tout seuls. L'attache traditionnelle est une simple bande de tissu provenant d'un vieux vêtement. Encore beaucoup mieux est une bande prélevée sur un bas de nylon. Son avantage est d'être élastique, elle s'étire graduellement à mesure que la tige pousse. Tout aussi excellentes, il existe des attaches commerciales composées de fil de métal enrobé de mousse protectrice, qui ne peuvent, elles non plus, écraser la tige. Évitez les attaches classiques composées qu'on utilise pour fermer les sacs de plastique (c'est-à-dire celles qui sont constituées d'un fil de métal recouvert de papier ou de plastique) : il y a trop de risque qu'elles étranglent ou blessent les légumes à mesure que leurs tiges prendront de l'expansion.

On peut aussi trouver des **tuteurs en spirale** conçus pour les tomates. Habituellement hauts de 1,7 m (mais les 30 cm d'une extrémité sont une tige droite à enfoncer dans le sol), ils sont faits de métal galvanisé et durent des années. Ils sont quand même faciles d'utilisation, car aucune attache n'est

Tout ce qu'il faut comme support pour les pois sont quelques branches minces insérées dans le sol.

Le tuteur droit (ici fait de branches) est le support traditionnel pour les tomates, mais il faut y fixer les tiges, un travail supplémentaire.

Le tuteur en spirale fonctionne très bien, mais donne une récolte limitée.

Les cages à tomate commerciales se déforment rapidement et sont peu efficaces.

Les cages à tomates carrées sont nettement plus efficaces que les rondes et se plient plus facilement.

requise : on plante la tomate à côté du tuteur et on entortille sa tige autour de la spirale à mesure qu'elle pousse. Le désavantage est qu'il faut supprimer *toutes* les tiges secondaires (on ne peut fixer qu'une seule tige au tuteur), d'où une perte importante de production. Par ailleurs, ces tuteurs ne sont pas assez solides pour beaucoup de tomates indéterminées.

Les **cages à tomates commerciales rondes** en métal sont très populaires mais peu efficaces. En effet, elles ne sont pas assez grosses pour les tomates indéterminées et sont fabriquées de tiges de métal flexibles et cassantes. Il faut presque ajouter un tuteur de bois pour les faire tenir debout (et c'est justement ce que font beaucoup de jardiniers) sous le poids d'un seul plant de tomate. On peut toutefois les utiliser pour les tomates déterminées naines, ainsi que pour les piments et les aubergines qui ne détestent pas un peu de support. L'idée est néanmoins géniale : on fixe la cage autour de la plante à la transplantation, en enfonçant ses trois supports de métal dans le sol, et à mesure que la plante croît, on n'a qu'à repousser toute tige qui essaie de sortir de la cage à ses confins. Ainsi aucune taille des tiges secondaires n'est nécessaire et la production est donc maximale. L'autre défaut de ces cages est le remisage. En théorie, on les insère les unes dans les autres, mais elles se déforment rapidement et ce n'est pas facile.

Il existe aussi des **cages à tomates commerciales carrées** ou **triangulaires** qui fonctionnent exactement comme les cages rondes, mais qui se plient à la fin de la saison. Et si on cherche davantage, on peut en trouver de plus haute taille et en métal plus solide. Si on arrive à bien les fixer au sol, ce sont d'excellents supports pour les tomates et pour d'autres légumes grimpants.

On peut **fabriquer sa propre cage à tomates**. Il faut du grillage à béton aux mailles de 10 cm (pour pouvoir y passer la main à la récolte) et de 120 cm (4 pieds) de largeur (la largeur standard). Découpez-le en « feuilles » de 120 cm. Enroulez chaque feuille pour en faire une colonne, en pliant les extrémités métalliques en crochet pour que la colonne se maintienne. Dressez la colonne dans le potager par-dessus un plant de tomate et fixez-la en place avec des piquets de tente. Vous voilà avec une cage bien plus solide que les cages commerciales et plus haute aussi ! Malgré tout, à la fin de la saison, une bonne tomate indéterminée s'élèvera au-dessus de la cage et la partie supérieure de ses tiges, arquées sous leur propre poids, touchera presque au sol, mais puisque cette technique n'exige aucune taille et que chaque tige arquée portera des dizaines de fruits, qui se plaindra si les plantes débordent ? À l'automne, défaites les

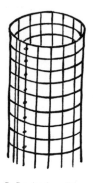

A. Découpez le grillage en sections de 1,2 m.

B. Roulez le grillage en colonne et fixez les extrémités ensemble.

colonnes et remisez les feuilles de grillage à plat ou contre un mur en les plaçant les unes sur les autres pour l'hiver. D'accord, elles rouilleront un peu avec les années, mais la couleur rouille ne nuira pas à l'apparence du potager.

Il y a toutes sortes de **treillis**, d'**obélisques**, de **pergolas**, de **tonnelles** et de **clôtures** qui peuvent également servir de support aux légumes grimpants. On les utilise surtout dans l'aménagement comestible. Notez que les treillis s'appuient habituellement sur un mur.

On peut utiliser un **support en V**, soit acheté (difficile à trouver, toutefois), soit fabriqué de bois, de métal ou de PVC. Il consiste en deux cadres rectangulaires fixés à leur sommet par des charnières et qu'on place en V dans le potager, ce qui donne un support solide. À l'intérieur des cadres, on fixe un filet de jardin flexible mais solide. Ensuite, on plante le légume grimpant à l'intérieur. Certains légumes, comme les haricots, les pois et les concombres, se fixeront au support tout seuls. Pour les autres (tomates, courges, etc.), il faut entortiller les tiges à travers le filet, ce qui est quand même moins de travail que de devoir les y fixer avec des attaches.

Enfin, il existe infiniment de modèles de support qu'on peut fabriquer soi-même avec du bois, du métal, des tuyaux de PVC, etc. Laissez aller votre imagination, en vous rappelant toutefois que les supports doivent toujours être très solides, car les légumes grimpants chargés de fruits sont souvent très lourds.

Notez bien aussi que tout support sur pied doit être solidement ancré dans le sol, surtout si on veut y cultiver des tomates, des courges ou des melons, car ils ont un poids considérable.

Support en V fait de tuyaux métalliques.

Voici deux modèles de support pour les légumes grimpants qu'on peut fabriquer soi-même.

Taille

Aucune taille n'est généralement requise pour les légumes, et ce, même si la croyance populaire dit le contraire. Même les tomates n'ont pas besoin de taille si vous avez assez d'espace pour leurs tiges souvent encombrantes. Les prétendus « gourmands » que tant de jardiniers s'empressent d'éliminer ne sont pas du tout des gourmands (un gourmand est, par définition, une tige stérile), mais des tiges productrices qui auraient donné des fruits : les supprimer, c'est réduire la récolte.

Autre pratique discutable, on recommande souvent de tailler les melons et les courges en supprimant l'extrémité de leur tige à un certain stade (le moment exact varie selon la source, mais c'est habituellement vers la fin de la saison) dans le but de « renforcer » le plant et de l'empêcher de gaspiller de l'énergie à produire de la croissance inutile. Pourtant, les études ne montrent pas la moindre différence entre la productivité des courges ou des melons taillés et celle des non taillés. Si on veut de *gros* melons ou courges, on peut cependant supprimer tous les fruits sauf un par plant. La production totale de la plante sera moindre, souvent considérablement, mais normalement le fruit sera plus gros. C'est la même chose pour les tomates. Supprimer les « gourmands » (branches secondaires) réduit de beaucoup la récolte (on n'obtient souvent que le quart du nombre de fruits), mais les fruits qui restent seront plus gros. Les plants non taillés gagnent toujours quand même en termes de productivité avec une récolte pesant presque trois fois plus que le poids total de celle des plants taillés.

Autre mythe non fondé, la nécessité d'« effeuiller » des légumes (notamment les tomates) pour hâter le mûrissement des fruits en fin de saison. Ça paraît pourtant logique : n'est-ce pas l'exposition au soleil qui fait rougir les tomates ? En fait, pas du tout. Les tomates mûrissent quand elles sont prêtes à mûrir, voilà tout. Comme preuve, récoltez deux tomates presque mûres et placez-en une dans un sac de papier opaque que vous mettrez au garde-manger et l'autre sur un rebord de fenêtre. Vous verrez que les deux mûriront en même temps, même si celle qui avait été enfermée n'a reçu aucun rayon de soleil. Le pire, c'est que non seulement effeuiller les tomates ne donne rien (cette opération n'accélère pas le mûrissement), c'est carrément nuisible. Souvent les fruits, d'abord ombragés par le feuillage du plant puis subitement exposés au plein soleil par l'effeuillage, brûlent et ne sont plus présentables. Et c'est le feuillage, en captant les rayons du soleil, qui donne leur goût aux tomates : si vous supprimez les feuilles, vos tomates seront moins sucrées !

En conclusion, il n'y a vraiment aucune raison de tailler les légumes… sauf si des branches vagabondes vous incommodent.

Binage

On ne bine ni ne sarcle pas dans un jardin paillé, et pour cause ! Voir page 12.

Paillage

J'ai déjà insisté sur l'importance du paillage (voir p. 24-27), mais puisqu'il est question d'entretien estival ici, rappelez-vous bien que si le paillis commence à baisser à moins de 5 cm, même en plein été, il est temps d'en rajouter. Il n'y a pas de saison particulière pour pailler un potager.

Le moment le plus satisfaisant de l'année pour le jardinier paresseux est celui où il peut croquer dans les légumes qu'il a produits lui-même.

LA RÉCOLTE

Même si on considère les mois d'août et de septembre comme les mois traditionnels de la récolte, la récolte du jardinier paresseux peut avoir lieu en toute saison, selon le légume. Comme nous l'avons vu dans *Éclaircissage* (voir p. 75), on peut déjà faire une récolte au moment du premier éclaircissage, soit à peine quelque semaines après le semis. Et on peut récolter les fèves germées et les germes de luzerne après seulement deux à cinq jours (voir p. 39-40). Il reste néanmoins que c'est à la fin de l'été que se concentre la plus grosse production de légumes prêts à manger.

Nous récoltons habituellement nos légumes au moment où ils sont les plus tendres et les plus sucrés. Curieusement, le moment où on les récolte correspond rarement à leur véritable période de maturité. D'accord, nous aimons nos tomates et nos cerises de terre à point, nos pommes de terre et nos oignons aussi, mais ce sont des exceptions plutôt que la règle. Nous récoltons nos petits pois… petits ! Trop gros, et ils deviennent pâteux et seulement bons pour la soupe. Un concombre devient orange et amer à sa pleine maturité, le maïs devient farineux si on attend trop longtemps, la laitue, amère et carrément immangeable. Plusieurs légumes ont deux périodes de récolte ou plus. L'oignon se mange mince comme oignon vert et sous forme de bulbe à pleine maturité. Le poivron se mange vert et immature, mais aussi à pleine maturité quand il est rouge (ou orange, jaune, pourpre, brun, blanc et j'en passe) et plus sucré. Le haricot frais se mange avec la gousse quand il est mince et immature, sans fibres, mais on le mange aussi sous forme de haricot sec quand il est mature, après avoir récolté les graines et rejeté la gousse, devenue trop fibreuse.

Comment donc savoir quand récolter un légume ? Si c'est un légume que vous connaissez, fiez-vous à ce que vous en savez quand il se trouve dans votre assiette. Quand les haricots de votre potager ont atteint à peu près la taille et la forme des haricots du supermarché, ni super minces ni courts (trop immatures), ni longs ni renflés (trop matures), ils sont à point. Et si les courgettes du supermarché vous paraissent petites et minces comparativement aux vôtres, qui ont presque atteint la taille d'un bâton de baseball, vous avez peut-être manqué le meilleur.

Rares sont les légumes qui indiquent très clairement qu'ils sont matures. Il est vrai que les feuilles des oignons et des pommes de terre se fanent quand la plante est pleinement mature et que les fruits de certains légumes changent de couleur à maturité, les tomates par exemple, mais en général, les changements sont plus subtils.

Voici néanmoins quelques indications générales :

> On peut récolter les **légumes-feuilles** n'importe quand avant la « montée » (montée en graine), autrement dit avant que la tige florale apparaisse. On peut donc les manger jeunes, à peine germés, quand les feuilles ont commencé à atteindre leur pleine taille, quand une rosette s'est formée ou quand la plante ressemble à un légume de supermarché. Quand vous voyez une tige dressée sortir du centre du plant, ce qui marque la première étape de la floraison, vous pouvez être certain que les feuilles ne sont plus digestes. Certains légumes-feuilles mûrissent très rapidement (épinards, certaines laitues) et il faut les récolter rapidement. D'autres légumes-feuilles ne fleurissent, en fait, que la deuxième année. On les récolte alors à l'automne, ce qui est (si on ne tient pas compte de l'hiver) « juste avant la floraison » ; c'est le cas des choux et des poireaux.

Pour plusieurs légumes-feuilles (laitue romaine, bette à carde, etc.), la récolte peut s'échelonner sur tout l'été si on ne récolte que les feuilles de l'extérieur de la rosette en laissant le centre intact. La plante réagit en produisant de nouvelles feuilles au centre, tandis que les anciennes feuilles du centre se retrouvent à l'extérieur de la rosette où vous les récolterez à leur tour… et ainsi de suite.

> On récolte les rares **légumes-fleurs** (chou de Bruxelles, chou-fleur) en boutons. Si les fleurs commencent à s'ouvrir, ils sont moins bons. Parfois ils refont d'autres boutons si on n'a récolté que les tiges prêtes à manger plutôt que toute la plante.

> On peut généralement récolter les **légumes-racines** sur une longue période, entre le moment où les racines sont assez grosses pour être intéressantes (de la taille d'un petit doigt pour les carottes, par exemple) et celui de leur maturité complète à l'automne, où elles sont un peu moins sucrées, mais plus endurcies et donc plus faciles à conserver longtemps. Entre les deux, on trouve le stade « supermarché », où les racines sont assez grosses et encore très sucrées.

> On récolte aussi les **légumineuses** (une sous-catégorie des légumes-fruits) à plus d'un stade : immatures et sucrées pour la consommation fraîche, mais matures si on désire les faire sécher pour la conservation.

> Pour les **légumes-fruits**, c'est plus variable, mais pour la majorité (aubergines, concombres, courgettes, maïs, etc.), le goût est meilleur quand ils sont bien formés tout en étant immatures. Il reste que nous préférons nos tomates et nos cerises de terre à pleine maturité. Pour les poivrons, c'est l'un ou l'autre. Pour plusieurs légumes-fruits, la récolte favorise une production accrue. Si vous laissez une courgette, un concombre ou des haricots à rames mûrir complètement, la plante n'en produira plus, mais si vous récoltez les fruits jeunes, la plante produira rapidement de nouvelles fleurs et de nouveaux fruits. Plus vous en récoltez, plus vous en aurez à manger !

Tout cela signifie qu'il faut faire le tour de son potager presque tous les jours, en quête de signes indiquant que tel légume approche de la maturité et qu'il vaut mieux le récolter sans tarder. Curieusement, si la plupart des légumes se dégradent quand on les laisse trop longtemps sur le plant (concombres, courgettes, laitue, etc.), leur développement s'arrête généralement au moment de la récolte. On peut donc conserver la plupart des légumes au frigo au moins plusieurs jours, si ce n'est plusieurs semaines. Les légumes dits « de conservation » peuvent rester en bon état durant des mois.

LA CONSERVATION DES LÉGUMES

On peut tracer une ligne assez nette entre les légumes qu'on récolte durant l'été et ceux qu'on récolte à l'automne. Les légumes d'été sont délicieux frais et se conservent quelques jours (laitues) à quelques semaines (courgettes) au frigo, mais c'est tout. Il faut les manger plutôt frais. Le cas le plus extrême est le maïs sucré dont le goût se dégrade très rapidement après la récolte : une heure seulement après la récolte, il est moins bon. On dit, et c'est à peine exagéré, de mettre l'eau à bouillir avant de le récolter ! Cinq à sept heures entre la récolte et la mise en vente (aucun légume n'est livré aussi rapidement aux supermarchés que le maïs sucré), et il est déjà très dégradé au goût.

Heureusement qu'il est possible de conserver la plupart des légumes d'été au réfrigérateur pendant une semaine ou deux. On peut aussi blanchir et congeler la plupart des légumes d'été et ainsi les conserver plusieurs mois. Même la laitue se congèle… mais elle ne sera bonne alors que dans les soupes et les ragoûts. On peut aussi faire sécher plusieurs légumes.

Voilà pour les « légumes d'été ». C'est le contraire pour les « légumes d'hiver ». Ils vous ont fait attendre des mois pour leur récolte, mais ils vous récompensent en se conservant longtemps. La plupart de ces légumes (choux d'hiver, courges d'hiver, carottes, panais, poireaux, pommes de terre, oignons, etc.) se conserveront un mois ou deux au frigo, même tout l'hiver dans une chambre froide (caveau à légumes)... si ils sont récoltés à pleine maturité. Ces mêmes légumes se conserveront peu de temps si on les récolte trop tôt : ils doivent s'endurcir à l'automne. Plusieurs, comme les poireaux, les choux d'hiver, les choux de Bruxelles et les topinambours, ont même meilleur goût quand ils ont subi quelques gels !

Dans une chambre froide, certains légumes peuvent se conserver jusqu'au printemps.

La chambre froide

On peut convertir un coin inutilisé du sous-sol en chambre froide ou caveau à légumes. Il faut la construire directement sur le plancher de terre ou de ciment, et isoler les murs intérieurs et le plafond (donc le contraire de ce que l'on fait pour une pièce ordinaire, où on isole plutôt les murs extérieurs). Ajoutez deux conduits d'air, un près du plafond pour laisser sortir l'air chaud et l'autre au niveau du sol pour laisser entrer l'air froid, une porte d'accès isolée et des tablettes. Il vous sera alors possible de conserver vos légumes d'hiver... tout l'hiver, comme le nom le dit. Une chambre froide fonctionne bien à toute température de 2 à 7 °C.

La plupart des légumes d'hiver se conservent mieux si on les place dans des seaux remplis de sable humide. On peut même « planter » des pieds de céleri dans des seaux de sable humide et récolter leurs pétioles un par un. Les pommes de terre, l'ail et les oignons, par contre, se conservent mieux à l'air (on peut les placer dans un panier ajouré, sans les recouvrir) ; les choux, emballés dans du papier journal ou même suspendus au plafond. Ne faites pas partager votre chambre froide de plantes potagères avec des pommes mûres : elles dégagent de l'éthylène, un gaz qui est toxique pour les autres légumes et qui peut réduire leur durée de conservation.

Un rang pour ceux qui ont faim

16 Northumberland St., Toronto, ON, M6H 1P7, Ph/Tél.: 1 877 571-4769, Téléc.: 416-536-9892, Courriel : *info@growarow. org*, Site Internet : *www. planterunrang.org*

Surplus

« Un rang pour ceux qui ont faim » est le titre d'un programme géré conjointement par la Garden Writer's Association, l'Association canadienne des banques alimentaires et le Conseil du compostage du Canada pour inciter les jardiniers à planter un surplus de légumes qu'ils pourront par la suite offrir aux banques alimentaires. D'accord, le jardinier paresseux ne cultive pas ses légumes en rangs habituellement, mais le principe demeure : pourquoi ne pas planter des surplus de légumes pour aider autrui ? Si vous avez un surplus de courgettes (et qui n'a pas un surplus de courgettes ?), offrez-le à une banque alimentaire plutôt que de le donner aux voisins. Vos voisins ont probablement les moyens de s'en payer ! Moisson Montréal *www.moissonmontreal.org* et Moisson Québec *www. moissonquebec.com* ne sont que deux des nombreux organismes offrant de la nourriture aux moins bien nantis, et ils peuvent vous mettre en contact avec d'autres dans votre région. Pour plus de renseignements sur le programme « Un rang pour ceux qui ont faim », vous pouvez communiquer avec les responsables.

ENTRETIEN AUTOMNAL DU POTAGER

Quand les derniers légumes sont récoltés, que reste-t-il à faire dans le potager? Très, très peu.

La récolte des semences

À moins de vouloir faire des expériences avec les résultats d'une hybridation de deuxième génération (F_2), il ne sert pas à grand-chose de conserver les semences des légumes hybrides F_1. Si vous avez cultivé à proximité plus d'une variété de courge, de concombre, de melon ou de tomate (évidemment, chaque légume ne peut se croiser qu'avec un autre de son espèce, une courge avec une courge, un melon avec un melon et ainsi de suite), il y a de bonnes chances qu'il y ait eu des croisements illégitimes. Il y a aussi le cas des légumes, comme les choux, les betteraves, les oignons, etc., qui sont des bisannuelles et ne fleurissent pas la première année… et rarement la deuxième non plus, car ils succombent habituellement à nos hivers. Enfin, dans bon nombre de cas, vous avez récolté la plante au complet avant qu'elle ait

Prélevez les graines trouvées dans les fruits humides, puis faites-les sécher au soleil avant de les remiser.

eu de temps de fleurir, encore moins de produire des graines. Donc, dans le fond, il n'y presque que les légumes annuels de lignées non hybrides que vous avez laissé monter en graines dont il vaut la peine de récolter les semences.

Beaucoup des plants restants seront des légumes-fruits, car au moins on laisse mûrir les fruits (donc les graines qu'ils contiennent) des tomates, des courges d'automne et des cerises de terre, et parfois des haricots, des pois, des piments et des poivrons. Ou on laisse mûrir, plutôt par accident, des concombres ou des courgettes. Ne les récoltez que lorsque le fruit est pleinement mûr (il change normalement de couleur) ou même blet. Ouvrez le fruit et prélevez les graines, puis lavez-les pour les débarrasser de toute trace de chair. Enfin, faites-les sécher au soleil quelques jours avant de les ensacher. Vous pourrez les déposer dans une enveloppe en papier et les conserver dans un bocal au réfrigérateur jusqu'au printemps suivant, tel qu'expliqué dans *Comment conserver des semences* aux pages 75 et 76.

Le moins de ménage possible

Il faut proscrire l'idée bien trop ancrée dans l'imagination populaire qu'il faut « faire le ménage » du potager à la fin de la saison. Dans quel but? Juste pour faire propre? Si c'est votre seul argument, il n'est pas très bon. En fait, nettoyer à fond un potager en arrachant les légumes de l'année et en râtissant la surface du sol pour enlever tous les déchets de l'année brise le sol, ouvre la voie à l'érosion et détruit les cachettes des insectes bénéfiques. Ne le faites pas!

Vous pouvez toutefois faire un ménage minimaliste, par exemple rentrer les outils et toute structure qui risquerait d'être brisée par la neige (tuteurs, tunnels, serres temporaires, etc.). Ne touchez pas aux légumes morts, sauf si vous les savez malades. Rappelez-vous que, de toute façon, vous allez faire une rotation des cultures au printemps. Ce sont surtout des insectes bénéfiques qui hivernent dans les végétaux morts et vous ne voulez certainement pas les déranger.

L'exception, ce sont les plantes malades. Coupez (ne les arrachez pas : vous ne voulez pas trop déranger le sol) et brûlez les plantes qui souffrent visiblement de maladies. C'est notamment le cas des tomates et des courges la plupart du temps. Ne mettez pas ces végétaux au compost.

Enfin, complétez ce « mini-ménage » en rajoutant du paillis si son niveau a baissé à moins de 4 cm. Les feuilles mortes des arbres sont habituellement abondantes à cette saison et font un excellent paillis une fois qu'elles ont été déchiquetées.

PROBLÈMES ET SOLUTIONS

Il serait tellement plaisant de pouvoir dire « vous pouvez planter vos légumes et les oublier, ils pousseront tout seuls », mais j'ai déjà mentionné au début de ce livre que cultiver de beaux légumes est l'un des plus gros défis pour les jardiniers et qu'il n'y a rien de très « paresseux » là-dedans. Tout au plus peut-on « arranger les choses » pour réduire beaucoup le travail, ce que d'ailleurs je vous explique tout au long de ce livre.

L'une des raisons pour lesquelles le potager n'est pas « de tout repos » est la grande vulnérabilité des légumes aux prédateurs et aux maladies. Pourquoi tant de problèmes avec les prédateurs et les insectes comparativement aux autres végétaux (annuelles, vivaces, arbres, conifères, etc.) ? Effectivement, parmi tout ce que nous cultivons, seuls les fruitiers sont plus touchés par les prédateurs et les maladies que les légumes.

C'est entre autres choses que nous sommes plus exigeants envers les légumes qu'envers nos autres plantes. Qu'un cosmos perde un rayon sous les assauts d'une sauterelle, et nous ne paniquons pas, mais s'il y a une seule tache sur un légume, il y a de bonnes chances que nous ne le mangerons pas. Fini l'époque où l'on découpait les imperfections dans les légumes, nous voulons de la verdure aussi parfaite que ce que nous voyons à l'épicerie.

Une autre raison est que nous avons éliminé plusieurs des défenses innées des légumes au cours de leur domestication. Le chou sauvage, par exemple, avait des feuilles très coriaces et était très amer. C'étaient ses défenses naturelles contre ses ennemis. Or l'humain a choisi, pendant des générations, les choux les moins coriaces et les moins amers, et il a même croisé activement les choux les plus doux pour créer ce que nous connaissons maintenant comme le chou des jardins. L'histoire du chou est la même pour tous les légumes. On sélectionne minutieusement les plantes les plus sucrées et les moins amères, donc celles qui offrent le moins de défenses. C'est comme inviter les prédateurs à souper ! Ainsi faut-il toujours être aux aguets quand on cultive un potager : les ennemis sont là, prêts à sauter sur nos potagers sans défense.

Utilisez le moins possible de pesticides, car en traitant un problème, souvent on en crée un autre.

Les pesticides et le jardinier paresseux

Je ne suis pas en faveur de l'utilisation abondante de pesticides, même biologiques. Ils perturbent l'équilibre naturel, tuant impunément les malfaiteurs et les bienfaiteurs. Même le savon insecticide, pourtant l'un des moins toxiques qui existent, tue les bons insectes comme les mauvais quand on le vaporise sur une plante. En traitant un problème, souvent on en crée un autre, car on déséquilibre tout le potager. Moins on intervient, moins on aura à intervenir. Assemblez votre potager comme si vous étiez un dieu créant une nouvelle planète : quand toutes les plantes ont été plantées aux bons endroits, pas en monoculture mais bien mélangées aux autres, il y a beaucoup moins de prédateurs et de maladies.

Le contrôle des insectes

Plaçons dans ce groupe non seulement les véritables insectes, mais aussi toutes les petites bestioles : mites, nématodes, limaces, etc. Pour les décourager, il faut tout faire pour rendre le potager le moins appétissant possible.

On va notamment rechercher des légumes résistants aux prédateurs. Il existe, par exemple, des carottes qui n'attirent pas la mouche de la carotte, des concombres qui repoussent les chrysomèles, des tomates résistantes aux nématodes nuisibles. On peut s'attendre à ce que le choix de légumes résistants, en baisse depuis la domestication des légumes il y a plusieurs centaines d'années, augmente avec le temps, car la réduction de l'utilisation des pesticides dans le potager est une préoccupation qui commence à influencer les hybrideurs de légumes.

Évitez les engrais riches en azote, car ils attirent les insectes au jardin. Faites une rotation régulière de vos légumes pour les décourager et pratiquez toujours la polyculture plutôt que la monoculture.

Une barrière très efficace

Il a déjà été brièvement question de la couverture flottante, aussi appelée toile flottante (« floating row cover » en anglais) à la section *Cloches, tunnels et compagnie* à la page 60. Mais cet abri conçu à l'origine pour conserver un peu plus de chaleur aux légumes au printemps s'est montré l'un des « pesticides » les plus efficaces qui soit. Il s'agit d'une étoffe transparente aérée et très légère qui laisse passer l'eau de pluie et, bien sûr, la lumière du soleil, et qui dissipe la chaleur excessive. On l'utilise cependant moins de nos jours comme étoffe pour protéger les plantes contre le froid que comme barrière pour protéger les légumes vulnérables aux insectes.

La couverture flottante crée une barrière légère mais efficace entre les insectes et leurs légumes préférés.

Il suffit de recouvrir lâchement le rang ou le carré d'une toile flottante et de la retenir sur les bords par des piquets, des briques ou des pierres (sinon elle partirait vite au vent) pour créer une barrière parfaite contre les insectes.

Quand les légumes germent au printemps, leurs prédateurs, attirés par leur odeur, se ramassent sur la couverture, mais sans pouvoir les atteindre. Découragés et confus, ils finissent par s'en aller.

Voilà pour le bon côté. Le défaut de ce moyen est qu'il risque de garder les plantes trop au chaud durant les périodes de canicule. Quand l'été s'installe et que la météo grimpe, enlevez la couverture flottante. Vos plants seront alors exposés aux insectes de nouveau, mais *après* le premier cycle de leurs ennemis. En outre, ils seront plus développés, donc davantage capables de résister si une deuxième génération d'insectes – et la deuxième génération est toujours moins importante – devait se présenter.

Évidemment, pour que cette technique soit efficace, il faut toujours faire une rotation des cultures. Sinon, les insectes qui sortent du sol au printemps là où étaient les plantes de l'année précédente se trouveront *à l'intérieur* de votre barrière anti-insectes et pourront alors s'en donner à cœur joie sur vos plants. La couverture flottante est très utile contre une vaste gamme d'insectes : piérides et altises sur les choux, doryphores sur les pommes de terre, mouches de la carotte sur les carottes, etc.

Protégeons les insectes bénéfiques

Les insectes ne sont pas tous nuisibles, loin de là. Beaucoup sont bénéfiques (les pollinisateurs et les prédateurs des insectes nuisibles, entre autres) et beaucoup de ceux que vous pouvez apercevoir dans le potager ou à proximité sont sinon bénéfiques, du moins inoffensifs. Il ne faut donc pas paniquer quand on voit des insectes dans le secteur. S'il n'y a pas de dégâts visibles, tout probablement qu'il n'y a pas de problème.

Même quand les insectes sont visibles et clairement nuisibles, il n'est pas toujours nécessaire d'agir. Par exemple, si vous voyez des chenilles sur un jeune plant de chou, il y a lieu de réagir et rapidement ; la plante est encore petite et si les insectes commencent à manger ses feuilles l'une après l'autre, elle n'en aura pas pour longtemps. Par contre, si vous apercevez les mêmes insectes sur la même plante à la fin de juillet, la situation est très différente ; gros, dodu, avec de multiples couches de feuilles, le chou ne sera pas trop dérangé si une ou deux de ses feuilles extérieures sont croquées. D'ailleurs, à la récolte, on coupe et on composte les feuilles extérieures, donc on n'a pratiquement rien perdu.

Si vous avez une infestation d'insectes mais que vous constatez qu'un de leurs prédateurs est à l'œuvre, voilà une autre raison de ne pas intervenir. Par exemple, si vous voyez des coccinelles ou des larves de coccinelle sur une plante attaquée par des pucerons et que vous appliquez un traitement contre ces derniers, non seulement vous éliminerez les coccinelles de cette génération, mais aussi les générations futures, laissant votre potager ouvert à une attaque majeure, car les insectes nuisibles se multiplient plus rapidement que les insectes bénéfiques. Or, si vous aviez laissé les coccinelles faire leur travail, elles auraient débarrassé votre plante de ses pucerons… et leurs nombreux descendants auraient été là pour protéger vos plantes contre les générations futures de pucerons.

Vous devez en outre savoir que les légumes peuvent tolérer une perte de 20 % de leur feuillage sans que cela nuise à leur production, ce qui montre qu'il vaut la peine de réfléchir un peu avant de sauter tout de suite sur un pesticide puissant.

En somme, « tolérez les animaux bénéfiques : leur rôle est de vous aider » : c'est le septième des préceptes du jardinier paresseux au potager !

Méthodes de contrôle des insectes nuisibles

> **La récolte manuelle :** quand il y a des centaines d'insectes qui s'attaquent tout en même temps à une plante, il est certain que les récolter à la main est impossible : c'est le genre de situation où il peut être nécessaire de vaporiser un insecticide. Mais si les dommages sont causés par un petit nombre d'insectes, la récolte manuelle des coupables peut être aussi efficace sinon plus rapide. Par exemple, il arrive très souvent que les papillons pondent un seul œuf par plant, donc que la chenille que vous voyez en train de croquer une feuille se trouve fin seule. Faites-la tomber à terre et écrasez-la, c'est tout. Si cette opération vous dégoûte, vous pouvez faire tomber la bibitte dans un seau d'eau savonneuse. Prenez l'habitude de regarder au

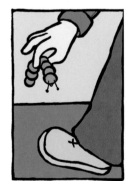

Quand il y a un petit nombre d'insectes nuisibles, on peut tout simplement les récolter à la main.

dos des feuilles : souvent vous y trouverez de petits œufs d'insectes nuisibles. Encore là, vous pouvez les écraser en bien moins de temps qu'il ne faut pour aller chercher un produit quelconque.

> **Un fort jet d'eau :** un fort jet d'eau du tuyau d'arrosage suffit souvent à réduire une population de pucerons ou d'araignées rouges à presque zéro. Répétez le traitement si vous voyez des signes de reprise.

> **Le Bt contre les chenilles… :** quand on pense aux bactéries, on imagine toujours des variétés néfastes, comme la bactérie mangeuse de chair (*Streptococcus* du groupe A), mais combien pensent aux bonnes bactéries, pourtant très nombreuses ? La plus connue dans le domaine horticole est sans doute le Bt (pour *Bacillus thuringiensis),* une bactérie très abondante dans la nature. On en connaît des dizaines de souches dont plusieurs sont très spécifiques à certains groupes d'insectes. Toutes fonctionnent de la même façon : le Bt demeure en dormance sur la plante jusqu'à ce qu'il soit ingéré par l'insecte. Une fois dans le système digestif de l'insecte, la bactérie s'y développe et libère des cristaux toxiques, ce qui rend l'insecte

Le Bt rend rend les chenilles malades et les empêche de manger.

malade. Dans les trois à quatre heures suivant l'ingestion, l'insecte arrête de manger, puis il meurt quelques jours plus tard. De son corps en putrescence naît une nouvelle génération de spores de Bt.

La plus connue des souches de Bt est le Btk *(Bacillus thuringiensis kursti),* spécifique aux chenilles. Cette bactérie ne touchera pas aux mammifères, aux oiseaux, aux poissons ni même à d'autres insectes que les chenilles. Le Btk est moins efficace contre les chenilles plus mûres, car elles commencent à moins manger en préparation de leur pupaison. Ne tuez surtout pas les chenilles malades, car elles transmettraient la maladie aux générations montantes ; si on laisse sur place une chenille mourante (qui ne mange plus de toute façon), son corps dégagera du Btk le reste de la saison et même l'été suivant, ce qui protégera les plants d'une attaque future. N'appliquez pas de Btk dans les 24 heures avant une pluie, car le produit serait lessivé des plantes.

> **…et contre les coléoptères :** il existe une autre souche de Bt, le Btt *(B. thuringiensis tenebrionsis* ou *B. t.* San Diego) qui s'attaque aux coléoptères, notamment à la « bibitte à patate » ou doryphore de la pomme de terre. Malheureusement, ce produit n'était pas encore homologué au Canada au moment où ces lignes étaient écrites, mais il est largement disponible ailleurs dans le monde ; donc, si vous avez l'occasion de traverser une frontière…

> **Le savon à vaisselle :** on recommande parfois de traiter les insectes au savon à vaisselle. Les savons à vaisselle n'ont cependant pas été mis au point pour être appliqués sur des plantes, et ils sont souvent phytotoxiques (toxiques pour les végétaux) à différents degrés. Par conséquent, il faut toujours tester le savon à vaisselle sur une feuille de la plante atteinte la veille du traitement. Si après 24 heures la feuille est toujours en bon état, on peut procéder au traitement.

> **Le savon insecticide :** c'est un bon exemple de pesticide à faible impact sur l'environnement qu'on peut utiliser sans trop craindre de dérégler tout l'équilibre dans la cour. Car il n'est pas toxique : il agit en étouffant l'insecte, bloquant ses pores et l'empêchant de respirer. De plus, il fait fondre la couche

Le savon insecticide est toxique pour une vaste gamme d'insectes.

cireuse qui protège plusieurs insectes, laissant leur corps délicat exposé aux éléments. Comme ce n'est pas un poison, il est sans danger pour les mammifères, les oiseaux et les poissons, et même pour les insectes une fois que la solution est sèche. C'est un insecticide de contact qui doit toucher l'insecte pour être efficace et qui n'a aucun effet résiduel. Il faut limiter son utilisation aux plantes qui ont un problème spécifique et en cours, car c'est un pesticide à large spectre, détruisant les méchants insectes comme les bons. Et comme il n'a aucun effet résiduel, il ne peut pas « prévenir ». Pour utiliser efficacement un savon insecticide, il faut le diluer selon les directives sur l'emballage, puis l'appliquer généreusement, en couvrant toutes les surfaces de la plante atteintes. Il faut répéter le traitement hebdomadairement jusqu'à ce que le problème soit réglé.

> **Des huiles insecticides :** il y a des huiles horticoles qu'on peut appliquer sur les légumes. Appelées huiles d'été ou huiles estivales, ces produits fonctionnent comme le savon insecticide, étouffant les insectes et faisant fondre leur couche cireuse. Attention cependant : les jeunes semis sont sensibles aux huiles ! Attendez que les plants soient en pleine croissance avant d'y appliquer une huile horticole d'été.

> **L'huile de neem : efficace et illégale :** s'il existe un pesticide biologique intéressant pour le jardinier paresseux, c'est bien l'huile de neem ou « neem » tout court. Cette huile, est utilisée en pharmacopée humaine depuis plus de 1000 ans et l'on peut en conclure qu'elle est à tout le moins relativement inoffensive pour l'humain. Elle est également inoffensive pour tous les animaux à sang chaud et est couramment utilisée en médecine vétérinaire. Le neem n'est pas non plus considéré comme toxique pour les poissons et les insectes aquatiques lorsqu'on l'utilise aux doses recommandées, mais il pourrait l'être si on le versait dans l'eau sans discernement.

Le neem est un insecticide biologique des plus efficaces contre les insectes et des moins nocif pour les mammifères.

Quant à son efficacité, le neem est donc à la fois bactéricide, fongicide et insecticide, bien qu'on l'utilise surtout pour cette dernière fonction. Son efficacité sur les insectes provient en partie de sa nature physique – en tant qu'huile, le neem bloque les pores des insectes, ce qui les empêche de respirer –, mais il a aussi un effet inhibiteur de croissance et il décourage les insectes de manger. Le neem a enfin un effet répulsif qui persiste un certain temps ; il sert donc non seulement à tuer les insectes et à les empêcher de se reproduire et de manger, il aide aussi à les éloigner.

Son défaut est qu'il est à très large spectre : il réprime sans distinction les bonnes « bibittes » et les mauvaises, à la fois bactéries, champignons, insectes et autres arthropodes. Il faut donc l'utiliser avec circonspection, uniquement sur les plantes qui ont un problème visible, et éviter d'en vaporiser sur tout ce qui pousse.

Au moment où ces lignes ont été écrites, le neem n'était pas encore homologué au Canada comme pesticide. On le vend comme « produit lustrant pour les plantes ».

Pour appliquer du neem, versez-en 1 à 2 ml dans un litre d'eau et remuez bien. Vaporisez sur les plantes atteintes. Répétez hebdomadairement au besoin.

> **Une terre du fond de la mer à la rescousse de nos plantes** : la terre de diatomées est une poudre blanche très fine composée de squelettes fossilisés d'algues marines microscopiques, les diatomées. Elles sont finement coupantes, comme du verre, et voilà justement l'utilité de la terre de diatomées : on l'applique là où peuvent passer les insectes rampants, qui se coupent à son contact, puis se déshydratent et meurent des suites de leurs blessures. Ce produit est toutefois d'utilisation très limitée en pleine terre, car il perd toute efficacité une fois qu'il a été mouillé ; la pluie et la rosée éliminent donc la terre de diatomées. On peut l'appliquer sur les feuilles de plantes infestées, mais il faut répéter le traitement après chaque pluie.

QUAND BIOLOGIQUE NE RIME PAS AVEC « SÉCURITAIRE »

Attention quand vous appliquez des produits biologiques comme la nicotine, le ryana, le sabadilla et la roténone : ce sont des pesticides « naturels » mais toxiques ! Si d'autres pesticides biologiques sont relativement sécuritaires, ces quatre produits sont des poisons mortels. Ne pensez surtout pas que l'étiquette « biologique » veut dire « sans danger » ! Personnellement, je ne les utilise jamais. Si vous les employez, que ce soit en dernier recours… et portez toujours des vêtement de protection lors de leur application, car ils sont aussi toxiques que les plus puissants des insecticides de synthèse.

> **La pyréthrine** : je ne suis pas très chaud à l'idée d'appliquer sur les plantes comestibles des pesticides qui sont toxiques pour l'humain, même si le produit est « biologique ». Ainsi j'évite le plus possible d'employer la pyréthrine et vous suggère de faire de même. Il reste que ce produit est beaucoup moins toxique que les insecticides biologiques décrits dans l'encadré *Quand biologique ne rime pas « sécuritaire »* ; donc si vous n'avez pas d'autre choix…

Photo : www.jardinierparesseux.com

La pyréthrine est dérivée du pyrèthre de Dalmatie.
(*Tanacetum cinerariifolium*).

Il faut bien se protéger avant d'appliquer de la pyréthrine.

La pyréthrine est dérivée des fleurs du pyrèthre de Dalmatie (*Tanacetum cinerariifolium*), une vivace proche de la marguerite, mais qui n'est pas rustique dans nos régions (zone 7). C'est un poison qui affecte le système nerveux d'un grand nombre d'insectes, et ses vapeurs incitent les insectes à sortir de leur cachette, ce qui les rend encore plus vulnérables au traitement. C'est surtout un poison de contact, mais qui a une certaine persistance (trois ou quatre jours), ce qui est une bonne chose dans certains cas et moins intéressante dans d'autres.

C'est un insecticide à spectre large pouvant tuer presque tous les insectes et acariens, bons et mauvais. Elle est modérément toxique pour les humains, les autres mammifères et les oiseaux. Elle est très toxique pour les poissons et il ne faut jamais l'employer près d'un jardin d'eau. Le masque protecteur, les lunettes de protection et des manches longues s'imposent avant de l'appliquer.

La pyréthrine est généralement combinée avec d'autres produits pour accroître son efficacité. Évitez les produits où elle se trouve combinée avec du butoxyde de piperonyl, car elle est encore plus toxique pour l'humain. Par contre, les produits combinant pyréthrine et savon insecticide et/ou huiles horticoles permettent d'utiliser moins de pyréthrine avec une efficacité accrue. Vaporisez le produit au coucher du soleil quand les abeilles sont moins actives.

Remèdes maison

Il faut faire très attention aux pesticides maison dont les recettes circulent constamment dans les milieux horticoles amateurs. Oui, ils peuvent parfois être efficaces, mais souvent ils ne valent strictement rien. Pire, il y a des cas où le pesticide ainsi produit est toxique.

Cas typique : les insecticides à base de tabac. Il y a 30 ans, les insecticides à base de nicotine ont été retirés du marché à cause de leur très grande toxicité pour l'humain, mais encore aujourd'hui on trouve des recettes d'insecticides à base de nicotine circulant sur Internet. Habituellement on procède par décoction, en faisant tremper des cigarettes, des mégots ou des feuilles de tabac dans l'eau, pour ensuiter vaporiser la solution obtenue sur des plantes. Or quelques cuillerées d'une telle décoction peuvent tuer un enfant !

Cela dit, voici quelques suggestions d'insecticides maison qui ne sont pas considérées comme très toxiques pour les humains :

> **Insecticide à base d'ail :** voici un insecticide maison facile à fabriquer et relativement efficace. Jetez une gousse d'ail et versez deux tasses d'eau dans un mélangeur et mixez à haute vitesse jusqu'à ce que l'ail soit réduit en purée. Versez le liquide dans un plat recouvert et laissez-le reposer une journée. Passez-le à travers un coton à fromage ou un tamis pour enlever la pulpe. Mélangez la solution dans quatre litres d'eau et ajoutez-y

Attention! Les remèdes-maison sont parfois plus toxiques que les pesticides de synthèse qu'ils sont censés remplacer « en toute sécurité ».

une ou deux gouttes de savon insecticide pour en améliorer l'adhérence. Ensuite, vaporisez le produit sur des plantes infestées de pucerons, d'aleurodes ou d'autres insectes. Cet insecticide n'a aucun effet résiduel ou préventif : il doit toucher l'insecte pour être efficace. Et il paraît qu'il est efficace aussi contre les vampires !

> **Les purins insectifuges** : pour produire ces pestici- des, récoltez une bonne poignée de feuilles de plantes reconnues pour leurs propriétés insectifuges : tanai- sie, rhubarbe, absinthe, ortie, etc. ; évidemment, vous récolterez les feuilles d'ortie avec des gants ! Faites- les bouillir 20 minutes, puis laissez refroidir. Filtrez le liquide et vaporisez-le sur les plantes infestées. Ce produit est plutôt un insectifuge (il fait fuir les insectes) qu'un insecticide (qui les tue).

La tanaisie (*Tanacetum vulgare*) sert à préparer un purin insectifuge.

Attirer les animaux bénéfiques

L'un des préceptes du RESPECT (voir p. 8) dit : Tolérez les animaux bénéfiques : leur rôle est de vous aider. Un moyen de réduire sensiblement les infestations d'insectes nuisibles est d'encourager leurs prédateurs. Et ils sont légion ! Parmi les insectes et autres arthropodes, il y a bien sûr les coccinelles, mais aussi les araignées, les carabes, les chrysopes, les centipèdes, les fourmis, plusieurs petites guêpes, les mantes religieuses et les syrphes. Du côté des animaux plus gros, il y a les colibris, les crapauds, les chauve-souris, les couleuvres et la plupart des oiseaux. Mais pour profiter de leur savoir-faire dans le contrôle des insectes nuisibles, il faut savoir les attirer chez soi. C'est pourquoi je vous présente les 4 P pour attirer les animaux bénéfiques :

La coccinelle est l'insecte prédateur le plus connu.

Assurez un habitat **p**ropice

Cultivez des **p**lantes hôtes

Haro sur les **p**esticides

Ne soyez pas trop **p**ropre

> **Assurez un habitat propice** : pour permettre aux animaux bénéfiques de prospérer, il faut essayer de leur offrir un habitat où ils seront bien. Heureusement, la clé du succès avec ces animaux correspond parfaitement à ce que recherche le jardinier paresseux : aménager un milieu qui fonctionne de façon presque autonome, avec le moins d'intervention possible de l'humain. Un terrain très varié avec de grands arbres, des arbustes, des fleurs, des graminées, de l'eau, des fleurs et des légumes, c'est-à-dire un peu de tout et pas seulement une vaste pelouse tondue, conviendra à un maximum d'espèces désirables.

> **Cultivez des plantes hôtes** : c'est bien de nourrir des animaux bénéfiques au moyen de mangeoires quelconques, mais c'est mieux de les nourrir naturellement. Plus votre terrain est garni de plantes qui nourrissent les animaux, les oiseaux et les insectes, soit des plantes à fleurs, à fruits, à feuillage comestible, etc., plus vous attirerez de visiteurs bénéfiques chez vous. Et moins vous aurez d'indésirables.

> **Haro sur les pesticides** : il me semble que c'est évident, mais puisque nous voulons encourager les bonnes bibittes, il ne faut pas empoisonner les mauvaises. De toute façon, comme la présence des bonnes élimine en grande partie les mauvaises, les pesticides n'ont plus aucune utilité. Mais force est de constater que ce précepte n'est pas bien compris. Bon nombre de jardiniers vaporisent des pesticides à la grandeur de leur terrain… et se demandent pourquoi aucun oiseau n'élit domicile dans le petit cabanon qu'ils ont installé.

> **Ne soyez pas trop propre** : moins vous faites le ménage, plus les animaux bénéfiques seront présents sur le terrain et moins vous aurez de problèmes d'insectes nuisibles. Quand vous « faites le ménage » en fait, vous enlevez aux animaux leur nourriture, leur gîte, leur lieu d'hibernation, etc. Plusieurs animaux bénéfiques passent l'hiver dans les feuilles et les tiges creuses qui jonchent le sol de votre potager à l'automne. Si vous n'y touchez pas, vous aurez un meilleur équilibre entre les insectes nuisibles et les insectes bénéfiques l'été suivant. Si vous ramassez les feuilles mortes et autres déchets à l'automne, vous risquez d'avoir beaucoup de problèmes d'insectes nuisibles et de maladies l'été suivant.

Quelques ennemis particuliers

> **Altises** : ces petits coléoptères sauteurs, noirs ou bleu métallique, percent de nombreux petits trous dans les feuilles, comme si on leur avait tiré dessus avec un fusil à plomb. Les altises sont extrêmement courantes, surtout quand l'été est chaud et sec, et certaines plantes en attirent des espèces qui leur sont spécifiques. Par contre, les dégâts sont souvent peu apparents, sauf de proche ; habituellement la feuille survit le reste de l'été, même si elle est passablement criblée. Une façon de s'en prémunir est de recouvrir les légumes qui y sont vulnérables, comme les radis, d'une couverture flottante.

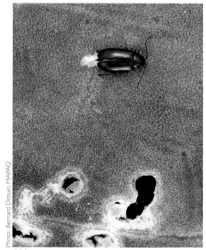

Photo: Bernard Drouin, MAPAQ

Altise.

Un autre traitement qui fonctionne bien est le piège collant blanc. Collez deux ou trois cartons blancs superposés, puis recouvrez-les de colle « Tanglefoot », disponible en pépinière. Attirées par la couleur, les altises viendront se coller sur le carton. Quand vous ne voyez plus de nouvelles altises sur les pièges (normalement au bout de trois à quatre semaines, le travail est fait), enlevez-les, car ils capturent parfois des insectes bénéfiques aussi.

> **Araignées rouges** : l'araignée rouge, appelée plus correctement tétranyque à deux points (*Tetranychus urticae*), est la plus courante des arthropodes parasites de la planète. En outre, elle a d'innombrables

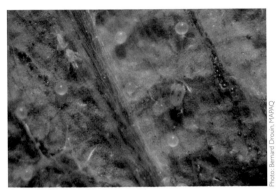

Araignée rouge.

Photo: Bernard Drouin, MAPAQ

cousins nuisibles (que nous appellerons aussi «araignées rouges» pour simplifier les choses), avec le résultat que peu de plantes peuvent se dire résistantes aux araignées rouges. Cette mite est si petite que l'œil humain a peine à la voir : il faut une bonne loupe pour la distinguer. Il faut donc apprendre à reconnaître une infestation d'araignées rouges à ses signes.

Chaque fois qu'une araignée rouge pique une feuille pour en absorber la sève, il se forme un minuscule point jaune ; la feuille devient ainsi de plus en plus jaune ou grisâtre à mesure que la population augmente. Quand la population est vraiment très importante, il se forme des «fils d'araignée» sur la feuille et ceux qui ont de bons yeux peuvent alors apercevoir des «poussières» se promener sur les fils : il s'agit des araignées rouges elles-mêmes. La feuille atteinte peut s'enrouler, s'assécher ou tomber. Une infestation majeure peut affaiblir ou même tuer la plante.

L'araignée rouge en petit nombre n'est pas si nuisible et serait d'ailleurs impossible à contrôler : il y en a partout tout le temps ! Elle ne prolifère pas par temps frais et humide… et une forte pluie peut laver une plante de presque toutes ses araignées rouges. Par temps chaud et sec, par contre, elle se multiplie à une vitesse peu croyable. Une plante apparemment indemne une journée peut être agonisante une semaine plus tard. L'araignée rouge aime particulièrement les haricots et les aubergines.

Cette bestiole si commune et si prolifique est étonnamment facile à réprimer. Simplement rincer la plante atteinte à grande eau ou la laver à l'eau savonneuse peut faire toute une différence. L'araignée rouge est également vulnérable aux savons insecticides, à l'insecticide à l'ail et à la pyréthrine. Tant que les conditions qui contribuent à son développement (chaleur, sécheresse) se maintiennent, il faut continuer les traitements, car il est très difficile d'éliminer complètement une colonie d'araignées rouges.

> **Chenilles :** il existe beaucoup d'espèces de chenilles qui s'attaquent aux légumes, toutes des larves de papillons de jour ou de nuit. Certaines sont spécifiques à leur hôte : par exemple, la piéride du chou ne s'attaque qu'aux plantes de la famille du chou, et la larve du papillon porte-queue du céleri n'est attirée que par les ombellifères comme le céleri et les carottes. On peut leur bloquer l'accès au moyen d'une couverture flottante ou les traiter au Bt, mais souvent le plus facile, c'est de les ramasser à la main et de les faire tomber dans un seau d'eau savonneuse.

Photo: www.jardinierparesseux.com

Plusieurs espèces de chenilles s'attaquent aux légumes, dont ce papillon porte-queue du céleri dévorant une feuille de carotte.

> **Doryphore de la pomme de terre**: le doryphore de la pomme de terre (*Leptinotarsa decemlineata*) est presque totalement spécifique à la pomme de terre (ou patate si vous préférez). On dit qu'il mange, au besoin, le feuillage des tomates, des piments, des aubergines, des aubergines et d'autres plantes de la même famille, les Solanacées, mais personnellement, en plus de 40 ans de jardinage, je n'ai jamais eu de problèmes de doryphore sur aucune autre plante que la pomme de terre. C'est un insecte très facile à reconnaître, qui ressemble à une grosse coccinelle très bombée jaune striée de noir. Il est très difficile de contrôler cet insecte sauf si… on élimine la pomme de terre de notre palette de légumes du potager! Et c'est le conseil principal du jardinier paresseux: pas de patates, pas de doryphores! Cas réglé. Vous irez acheter vos pommes de terre au marché comme tout le monde.

La «bibitte à patates», ou doryphore de la pomme de terre, dévaste souvent son hôte préféré.

Vous tenez à cultiver quand même des pommes de terre? Voici quelques trucs qui peuvent fonctionner, seuls ou en combinaison:

• **utilisez une couverture flottante en début de saison;**

• **ramassez à la main les adultes et les larves (orange et dodues), puis écrasez-les ou déposez-les dans de l'eau savonneuse;**

• **passez l'aspirateur manuel dans le feuillage pour ramasser les adultes;**

• **cherchez et écrasez les œufs orange sous les feuilles;**

• **vaporisez régulièrement des insecticides appropriés (pyréthrine, neem, etc.);**

• **traitez au Btt (voir p. 93) si vous pouvez en trouver.**

Voici cependant un truc qui fonctionne à coup sûr: dispersez vos pommes de terre à travers les autres légumes. Les doryphores, attirés par l'odeur distinctive du feuillage des pommes de terre, trouvent plus facilement leur hôte quand ce légume est regroupé en monoculture. Mais quand les plants de pomme de terre sont éparpillés au milieu d'autres végétaux, le problème se résorbe. Un ou deux doryphores, peut-être, mais pas assez pour appliquer un traitement: il en faut des dizaines pour nuire à la production des pommes de terre. L'année suivante, répétez… en changeant les pommes de terre de place.

> **Limaces**: quel jardinier ne connaît pas ce mollusque gluant qui s'amuse à percer des trous dans nos beaux légumes, surtout la laitue en feuilles? Et quelle bouffe! On voit parfois les jeunes semis dévorés avant même d'avoir eu la chance de produire une seule feuille mature. Et parfois on a l'impression qu'il y a plus de limaces dans le potager que de légumes!

Il y a plein de trucs qui ne donnent pas satisfaction: piège à la bière, maison de limaces, planche qu'on laisse traîner, barrière de coquilles d'œufs, etc. Ce n'est pas qu'ils ne sont d'aucune efficacité, mais ils n'arrivent pas à résoudre le problème. Autrement dit, vous avez beau tuer des limaces par centaines, il y en a des dizaines de milliers pour les remplacer. Si vos légumes en sont toujours victimes, vous n'êtes pas plus avancé. Voici donc trois trucs qui vont vraiment réduire les dégâts :

- **le paillis d'aiguilles de pin :** les limaces n'aiment pas les surfaces coupantes et iront ailleurs ;

- **une bande de cuivre (disponible dans les quincailleries) autour de la base des légumes :** les limaces ne traversent pas le cuivre, qui est toxique pour elles ;

- **le phosphate de fer :** ce produit est très toxique pour les mollusques, mais non toxique pour les

Limace.

autres animaux (mammifères, oiseaux, poissons, insectes), même pas les lombrics et les organismes de sol bénéfiques ; de plus, le phosphate de fer est un minéral naturel, donc acceptable pour les jardiniers biologiques ; enfin, il contient du phosphore et du fer, deux éléments essentiels à la bonne croissance des plantes.

Évitez les molluscicides à base de métaldéhyde, un produit si toxique qu'on ne peut le conseiller aux jardiniers le moindrement responsables. À tous les ans, il y a des cas d'empoisonnement au métaldéhyde chez des jeunes enfants.

> **Perce-oreilles :** tout comme il y a de nombreux traitements contre les limaces qui ne donnent rien en fin de compte, il existe maintes et maintes recettes douteuses pour contrôler les perce-oreilles ou forficules, comme les pièges à l'huile de sardine ou les pulvérisations. Toutes « fonctionnent » dans le sens qu'elles permettent de tuer ou de ramasser plusieurs spécimens, mais la triste réalité est que, lorsqu'il y a une infestation majeure, tuer quelques perce-oreilles ne sert pratiquement à rien. Pour chaque perce-oreille que vous tuez, un autre viendra volontiers occuper l'espace laissé vide. Le secret avec les perce-oreilles est d'avoir de la patience. Il s'agit d'un insecte qui est très nuisible seulement quand il est présent en grand nombre. Or, après deux ou trois ans de crue au cours desquels les perce-oreilles, qui sont des « nouveaux venus » introduits d'Europe, font régner la terreur sur le potager, la population chute de façon marquée et ils ne sont plus un problème. Même qu'en petit nombre, les perce-oreilles, qui sont omnivores, sont bénéfiques, car ils mangent les ennemis des plantes.

Parmi les plantes vulnérables, il y a la laitue (sauf la laitue romaine), les pommes de terre et le maïs, dont les perce-oreilles mangent les soies, empêchant ainsi la fécondation. Ils peuvent aussi attaquer les semis de haricot et de betterave.

Pendant les années de grosse infestation, je vous suggère d'éviter de cultiver les légumes vulnérables aux perce-oreilles, tout simplement !

Perce-oreille.

Pucerons sur une capucine.

> **Pucerons** : il s'agit de petits insectes suceurs ayant la forme de petites poires translucides montées sur des pattes très minces. Habituellement ils sont verts, mais ils peuvent aussi être noirs, pourpres, noirs, beiges, orange, etc., ou encore être couverts de duvet blanc. Ils vivent en colonie (on les voit souvent à la queue leu leu à l'extrémité des tiges), chaque femelle pondant des nymphes qui commencent à pondre à leur tour après seulement quelques jours. Ainsi la population augmente-t-elle à la vitesse de l'éclair ! À l'occasion, quelques individus ailés sont nés et partent fonder de nouvelles colonies. Dans le cas d'une infestation mineure, attendez quelques jours : souvent les prédateurs, comme les chrysopes, les coccinelles et les oiseaux, viendront faire le ménage sans que vous ayez à intervenir.

Souvent, le seul traitement nécessaire consiste à diriger un fort jet d'eau sur la plante infestée. Si l'eau ne fonctionne pas, il y a toute une gamme de traitements efficaces contre ces insectes prolifiques : huile estivale, neem, pièges collants jaunes, savon insecticide, suppression des parties atteintes, terre de diatomées, vaporisation à l'ail, etc.

Dans certains livres de jardinage biologique, on recommande la capucine comme plante compagne pour éloigner les pucerons… mais on dirait qu'on a oublié de finir la phrase. La capucine (*Tropaoeum majus*) n'éloigne pas les pucerons, elle les *attire* ! En planter en tant que plantes compagnes ne réglera pas vos problèmes mais va plutôt les empirer ! La fin de la phrase est : *…et quand vous voyez les pucerons sur la capucine, arrachez et détruisez cette dernière pour écraser l'infestation dans l'œuf.* C'est si simple, mais encore faut-il le faire !

> **Thrips** : le thrips (thrips est à la fois singulier et pluriel) est un minuscule insecte surtout actif la nuit, ce qui fait qu'on voit généralement les dommages qu'il cause bien avant de le voir lui-même. Comme il s'attaque aux feuilles en râpant la surface extérieure, on remarque souvent sa présence quand la partie atteinte grisonne ou se décolore irrégulièrement. On peut aussi apercevoir des petits points noirs sur les parties atteintes : ce sont ses excréments. L'insecte a environ la taille d'un trait d'union noir, brun ou jaune avec deux paires d'ailes frangées (un détail que seule une loupe permet de

Dégâts causés par les thrips.

remarquer). Les larves, de couleur pâle, ressemblent aux adultes mais ne volent pas. Il y a plusieurs générations par année et on peut dire que le thrips est présent tout au long de la saison de croissance. Le contrôle est très difficile, parce que la pupaison se fait dans le sol et non sur la plante. Donc, même si on vaporise adéquatement avec un produit approprié comme le savon insecticide, l'insecticide à l'ail ou la pyréthrine, il y a toujours une génération qui n'a pas été touchée et qui reprendra le dessus dès qu'on aura le dos tourné. Détail important : dans les monocultures, le thrips est souvent un transporteur important de virus nuisibles. Il faut normalement être très assidu pour voir les thrips... et avoir de bons yeux ! Un secret, cependant : soufflez sur la plante que vous croyez infestée et vous ferez courir les thrips.

Plusieurs acariens et insectes permettent de contrôler les thrips. Les perce-oreilles, les coccinelles et les punaises bénéfiques en raffolent, de même que plusieurs acariens, tandis que les nématodes bénéfiques s'occupent des larves qui ont pénétré dans le sol au stade de la pupaison. Si vous faites preuve d'un peu de tolérance, souvent un équilibre naturel s'établit et aucun traitement n'est nécessaire. Malheureusement, les traitements contre les thrips tuent souvent leurs prédateurs.

Par ailleurs, on peut résoudre les problèmes récurrents de thrips avec une rotation des cultures, mais si les oignons, les poireaux, les haricots, les pois et les carottes ont des problèmes récurrents avec les thrips, il vaut mieux ajouter une couverture flottante à votre programme de protection.

> **Vers gris :** le ver gris est la larve d'un papillon de nuit appelé noctuelle (*Euxoa* spp.) qui pond ses œufs dans le sol à l'automne. Il peut provoquer des dommages considérables aux jeunes légumes. À son éclosion au début de l'été, le ver sort du sol la nuit et gruge la base des plants qui tombent au sol. Le jardinier se réveille le matin pour trouver ses plantes fauchées. Dans l'immédiat, il faut faire un peu de prospection. Avec une lampe de poche, rendez-vous dans le jardin la nuit suivante et cherchez les coupables : ils ne vont jamais très loin et devraient se trouver dans le secteur où ils ont fauché les plantes la veille.

Photo: Bernard Drouin, MAPAQ

Ver gris.

Les vers gris semblent préférer le potager classique au sol dégagé, fréquemment labouré, etc. On constate beaucoup moins d'infestations dans les potagers qui sont paillés. De plus, les prédateurs ont souvent été chassés des jardins méticuleusement entretenus, alors que ces animaux, comme les crapauds et les oiseaux, s'occupent des vers gris quand on les laisse faire. Si vous avez eu beaucoup de problèmes l'année précédente, protégez la base de vos plantes repiquées et de vos semis avec une boîte de conserve sans fond que vous enfoncerez à 2 cm de profondeur autour des jeunes plants. Avec une telle barrière autour des tiges, le ver gris ne peut plus faire son œuvre.

Le contrôle des gros prédateurs

Par gros prédateurs, j'entends surtout les mammifères, mais aussi parfois certains oiseaux. Ils sont particulièrement difficiles à contrôler, puisqu'ils sont assez intelligents pour s'enfuir quand vous êtes dans le coin, puis retourner finir le travail quand vous êtes parti, contrairement aux insectes qui au moins restent plus ou moins sur place où vous pouvez les écraser. En outre, il sont assez gros pour faire beaucoup de dégâts en peu de temps. Un seul raton laveur, par exemple, peut dévaster complètement une production de maïs sucré en une seule nuit. Et souvent la loi protège davantage l'animal que le jardinier. La plupart de ces gros prédateurs sont protégés de la chasse par la loi, du moins en ville, et même à la campagne il y a souvent des restrictions, par exemple une seule saison de chasse. On a bien envie de leur tirer dessus par moments, mais c'est rarement légal.

Traitements généraux

> **Pièges :** Il existe des pièges de plusieurs tailles, donc pour presque tous les mammifères nuisibles sauf le chevreuil, qui permettent de les capturer. Vous pouvez le faire avec un piège de type « Havahart », qui capture l'animal vivant sans le tuer ou le blesser, ce qui permet de le relâcher ailleurs par la suite. Si vous cherchez à piéger une bête à poil, sachez que l'appât universel est une section de pomme badigeonnée de beurre d'arachide. Aucun dés mammifères sauvages susceptibles de causer des dommages à un potager ne semble pouvoir y résister. Notez en passant qu'une couverture flottante, si efficace dans la lutte contre les insectes, n'arrêtera pas un mammifère : il découpera un trou dedans en moins de deux.

Les pièges Havahart capturent les petits mammifères sans leur faire de mal.

> **Effaroucheurs :** il y a dizaines de types d'effaroucheur sur le marché et autant qui font partie des remèdes maison : des hiboux ou des serpents en plastique, des rubans argentés ou des assiettes en aluminium qui bougent au vent, des systèmes qui émettent des sons de tir de fusil ou des ultrasons, des produits malodorants comme les œufs pourris, l'urine de prédateurs et le poil des animaux domestiques, l'épouvantail classique, et j'en passe. Ils fonctionnent en faisant peur aux mammifères (et aussi aux oiseaux dans certains cas) : l'animal

Le savon Irish Spring peut chasser, temporairement, les mammifères de votre jardin.

sent qu'il y a quelque chose qui ne va pas et s'éloigne. La plupart fonctionnent quelque temps, mais quand l'animal se rend compte qu'il n'y a pas vraiment de danger, il revient. Le secret, donc, n'est pas de se munir d'un seul répulsif, mais de plusieurs, et de les utiliser en rotation. Comme un effaroucheur sera efficace environ deux semaines habituellement, il vous faut tout un arsenal de répulsifs pour pouvoir passer l'été en paix.

> **Effaroucheurs mus par un détecteur de mouvement** : le seul effaroucheur qui semble vraiment efficace encore et encore est l'arroseur muni d'un détecteur de mouvement. La marque vendue habituellement s'appelle « Scarecrow ». Le truc, c'est de régler le jet pour qu'il couvre la zone que fréquente l'animal *sans* arroser les habitants ni le facteur (arroser les voisins qui traversent toujours votre haie, c'est optionnel). Il n'y a rien comme toucher à un animal (mais seulement avec de l'eau) pour lui faire peur. De plus, c'est drôlement amusant ! On installe le dispositif, on se cale dans le hamac avec une bonne bière et on regarde l'action. Cerfs, ratons

Le Scarecrow est un arroseur muni d'un détecteur de mouvement.

laveurs, chats, chiens, écureuils, marmottes, même corneilles et pigeons, tous s'enfuient. Évidemment, le dispositif n'est pas efficace contre les animaux qui vivent surtout sous le sol, comme les taupes ou les campagnols (mulots), et il ne fonctionne pas en présence d'animaux de très petite taille, comme les tamias (les suisses) et la plupart des oiseaux. Le « Scarecrow » est également assez coûteux… mais je n'ai jamais entendu qui que ce soit s'en plaindre. Il faut croire que la paix entre l'humain et les animaux n'a pas de prix !

> **Clôtures** : c'est la méthode la plus coûteuse pour éloigner du potager les mammifères comme les cerfs, les marmottes, les ratons laveurs, les mouffettes et autres mammifères de taille moyenne à grosse, mais c'est aussi la plus permanente. Une petite clôture décorative ne fonctionnera sûrement pas. Pour un cerf (chevreuil) par exemple, il faut une clôture grillagée de type Frost haute d'au moins 2,4 m et dont la partie inférieure est enterrée à au moins 60 cm, car les cerfs n'hésiteront pas à creuser pour atteindre leur but. Oui, vous m'avez bien lu, le grillage de la clôture anti-cerf doit mesurer au moins 3 m en tout ! Pour les marmottes, une hauteur de 90 cm suffit, avec le bas du grillage enterré à 30 cm.

Le raton laveur est assez futé pour trouver un passage à travers, par-dessus ou par-dessous presque n'importe quelle clôture… à moins que vous ne l'électrisiez. Prenez un modèle anti-marmotte, mais ajoutez des fils électriques à 15 cm et à 30 cm au-dessus du

Une clôture anti-raton laveur ne sera efficace que si elle est électrifiée.

grillage. Branchez-les sur une prise ou une batterie. Tous les matériaux pour construire une clôture anti-raton laveur sont disponibles dans les coopératives agricoles.

Le raton laveur est cependant un excellent grimpeur qui passe souvent d'un endroit à un autre en suivant les branches des arbres. Ainsi votre super-clôture électrique impossible-à-grimper ne l'arrêtera pas deux instants s'il y a des branches qui passent par-dessus. Taillez toujours les branches surplombant le jardin à protéger si vous voulez que votre clôture soit efficace.

Traitements particuliers

> **Chats**: le chat cause des dégâts surtout à cause de son habitude de creuser dans les espaces dénudés du potager pour y faire ses besoins. Or, ces espaces ne sont pas dénudés, pas de notre point de vue, et ainsi le chat arrache ou renverse semis, jeunes plants, etc. De plus, une fois qu'il a choisi un endroit, il revient encore et encore, non seulement dégarnissant le secteur, mais le rendant nauséabond. Les chats savent ne pas mordre la main qui les nourrit: ils ne vont presque jamais chez eux, mais chez le voisin. Donc, votre chat reste toujours un petit ange, mais alors le chat du voisin!

Les chats font souvent leurs dégâts chez les voisins.

Les chats aiment le grand confort et changeront vite d'idée sur une litière si elle ne répond plus à leurs exigences. Voici donc quelques trucs pour les chasser:

- **tenez l'emplacement très humide par des arrosages répétés**: les chats détestent avoir les pattes humides;

- **mettez un grillage à poule sur les lieux de semis**; les chats ne pourront plus gratter le sol… mais les semis pourront pousser à travers le grillage;

- **répandez des poils de chien sur l'emplacement,** minou en sera très choqué; si vous n'avez pas de pitou, demandez du poil dans un salon de toilettage;

- **les paillis plutôt rugueux ou même piquants,** comme des paillis d'écorce, des cocottes de conifère émiettées, des branches d'épinette, des retailles de rosier ou des pierres, tiendront aussi les chats à distance;

- **profitez de l'animosité séculaire entre chiens et chats**; si vous avez un chien qui passe le gros de son temps à l'extérieur, les chats éviteront votre terrain;

- **enfin, le «Scarecrow»** (voir p. 104) est *très* efficace.

> **Chiens** : en général, le chien cause moins de problèmes dans le potager que le chat, et quand il en cause, il est plus facile à dompter. Au pire, la moindre clôture suffira pour l'éloigner. Ses défauts ? Parfois il se couche au plein soleil… directement sur votre rang de carottes. Et certains chiens sont d'indomptables creuseurs. Le mieux qu'on puisse faire est souvent de leur apprendre à creuser ailleurs que dans le potager. Bien sûr, le « Scarecrow » réussit à coup sûr à éloigner les chiens récalcitrants.

Dans le potager, les chiens constituent généralement un problème moindre que les chats.

Le contrôle des maladies

Les maladies sont souvent très sournoises. La plante semble en parfait état une journée, et le lendemain elle est à terre. Dans ce cas, il n'y a souvent plus rien à faire. Il est tout à fait inutile de traiter une maladie *après* qu'elle s'est installée. Quand une plante s'affaisse, se couvre de poudre blanche, de mousse grise ou affiche tout autre symptôme de maladie, c'est que l'infestation était déjà en cours depuis longtemps, mais cachée à l'intérieur des tissus. Quand elle éclate au grand jour, les traitements, qui ne peuvent quand même pas pénétrer les tissus des végétaux pour attaquer le mal à sa racine, sont pratiquement futiles. Donc, pour les maladies des légumes, le dicton « mieux vaut prévenir que guérir » s'applique à 100 %.

La prévention

Heureusement, on peut faire beaucoup pour prévenir les maladies… en commençant par acheter des variétés résistantes (voir p. 58), surtout si une maladie en particulier a déjà frappé le potager dans le passé. D'ailleurs, c'est le sixième des préceptes du RESPECT : Cultivez des variétés résistantes : elles vous assureront la paix.

Vous pouvez aussi assurer une rotation, de préférence sur quatre ans, et contrôler les insectes perceurs qui transmettent les virus. Il y a aussi une grosse baisse dans la fréquence des maladies quand on utilise un paillis. Par ailleurs, mieux vaut arroser les légumes *sans* mouiller leur feuillage, surtout le soir ; à cet effet, un tuyau poreux (voir p. 79) est idéal. Selon mon expérience, l'application de mycorhizes semble prévenir ou retarder l'apparition des maladies qui trouvent leur origine dans le sol.

Quelques maladies spécifiques

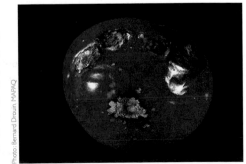

Alternariose sur des tomates.

> **Alternariose** : depuis environ 2002, une « nouvelle » maladie est apparue, chez la tomate surtout mais aussi chez la pomme de terre : la brûlure alternarienne ou alternariose. En fait, c'est loin d'être une nouvelle maladie. C'est même la brûlure alternarienne qui a anéanti la production de pommes de terre en Irlande dans les années 1845 à 1850, provoquant l'horrible « Grande famine d'Irlande ». C'est que cette maladie, qui était toujours présente, a récemment réapparu sous une nouvelle forme plus virulente.

On décèle d'abord l'alternariose sur les semis… et c'était jusqu'à récemment la forme la plus courante. D'ailleurs, en anglais, on appelle cette maladie « early blight » (brûlure précoce). Des taches brunes formées de lignes concentriques se forment sur les vieilles feuilles, qui s'assèchent graduellement. La maladie monte rapidement vers le haut et la plante meurt. À ce stade, c'est surtout une maladie d'intérieur : quand les plants, s'ils survivent, sont repiqués en pleine terre, ils récupèrent presque toujours. Comme la maladie peut être transmise par les graines contaminées, on suggère d'acheter les semences chez un marchand qui assure un traitement à la chaleur à ses graines de tomate.

Quand l'alternariose frappe les plantes matures, on peut remarquer d'abord des taches noires sur les feuilles auréolées de blanc et un manque de vigueur. Mais le plus choquant, c'est quand le fruit d'une tomate qui était presque prête à récolter développe subitement une dépression noire au point d'attache du fruit, dépression qui peut rapidement s'étendre à la moitié du fruit ! En attendant de trouver un plus vaste choix de variétés résistantes, appliquez les préceptes du RESPECT et vous pourriez réduire de beaucoup les effets de l'alternariose.

> **Anthracnose, brûlures, rouilles, etc. :** les légumes souffrent de toute une série de maladies qui sont souvent très spécifiques à un légume donné et ne toucheront pas aux autres plantes, même apparentées. Elles ont souvent pour symptômes diverses taches sur les feuilles et un dépérissement lent de la plante, souvent à partir de la base. On ne peut rien faire pour traiter ces maladies une fois qu'elles sont apparues, sinon arracher et détruire les plantes malades. Pour les prévenir, recherchez des variétés résistantes et pratiquez la rotation des cultures.

> **Blanc :** quand on aperçoit le premier symptôme visuel du blanc (aussi appelé mildiou poudreux et parfois oïdium[2]), soit l'apparition d'une « poudre blanche » sur la feuille, il est déjà trop tard pour intervenir. Cette poudre résulte en fait de l'apparition de sporanges (organes producteurs de spores), soit l'avant-dernière étape de la maladie. À la dernière étape, la feuille noircit et meurt. Avant que les sporanges apparaissent, la maladie a déjà envahi les feuilles depuis des semaines ou même des mois. Il faut donc prévenir le blanc, puisqu'on ne peut guérir la plante atteinte.

Le blanc touche presque toujours les courges en fin de saison.

Le blanc est une maladie très courante qui affecte une vaste gamme de légumes en toute saison – printemps, été et automne – et qui peut faire des dégâts importants lorsqu'il attaque les plantes en début de saison. Il vaut alors la peine d'essayer de le prévenir. Par contre, lorsqu'il frappe des légumes en fin de saison, comme les pois, les courges, les melons et les concombres, c'est un moindre mal. La plante a

---

[2] L'oïdium, c'est-à-dire le champignon *Oidium*, est seulement l'un des agents pouvant causer le blanc ; il en existe des centaines d'autres, notamment dans les genres *Erysiphe*, *Microsphaera*, *Phyllactinia*, *Podosphaera*, *Sphaerotheca* et *Uncinula*.

déjà pratiquement complété son cycle et est en train de dépérir de toute façon. Ces légumes réussissent parfaitement à amener leurs fruits à maturité, même quand le blanc a commencé à noircir leur feuillage. Donc, nul besoin de paniquer quand le blanc survient à la fin d'août : la maladie fait partie de la sénescence naturelle de la plante.

Comme bien des maladies végétales, le blanc se développe d'abord sur des feuilles humides. En arrosant les plantes par leur pied, sans mouiller le feuillage, vous pouvez faire beaucoup pour limiter les dégâts.

Pour prévenir le blanc, une solution assez facile consiste à… maintenir le sol plus humide. Le blanc de fin de saison se développe surtout quand le feuillage et le sol sont secs, mais que l'air est très humide. On le voit souvent apparaître en août ou septembre, car non seulement ces mois sont-ils plutôt secs, causant un stress à la plante qui permet à la maladie de s'étendre, mais, avec la baisse nocturne des températures, l'air est plus humide. Pour preuve, les rosées sont particulièrement abondantes à cette période. En utilisant un bon paillis et en arrosant au besoin, vous pouvez réduire sensiblement le risque d'infestation.

Ainsi que je l'ai mentionné, le blanc est souvent une maladie de sénescence et le traiter paraît alors peu important. Si vous y tenez, mélangez 5 ml (1 c. à thé) de bicarbonate de soude (provenant de votre garde-manger) dans un litre d'eau et vaporisez cette solution sur les plantes sujettes à la maladie. Pour que le bicarbonate adhère mieux à la feuille, ajoutez à la solution quelques gouttes de savon insecticide ou de savon à vaisselle. Notez que ce traitement ne fera que prévenir ou arrêter la maladie, pas la guérir. Si vous commencez le traitement après l'apparition de la poudre blanche typique sur les feuilles, vous pouvez arrêter la progression de la maladie, mais le blanc déjà présent subsistera le reste de la saison.

Le lait aurait une certaine efficacité comme fongicide préventif. La recette ? Une partie de lait pour neuf parties d'eau que l'on vaporise jusqu'à saturation. Le lait en poudre serait aussi efficace que le lait entier.

> **Moisissure grise :** la moisissure grise ou botrytis (*Botrytis cinerea*) est surtout fréquente par temps très humide, donc lors des étés particulièrement pluvieux ou dans les emplacements sombres et renfermés où la circulation d'air est faible. Loin d'être une maladie spécifique, elle peut s'attaquer à presque n'importe quelle plante. Elle infeste surtout les feuilles inférieures, formant des points ou des plaques ressemblant à du duvet gris sur les feuilles. Elle peut aussi attaquer les jeunes tiges. Les tissus atteints ramollissent et noircissent, puis pourrissent. La maladie commence souvent sur des feuilles mortes ou endommagées, mais elle s'étend facilement aux tissus sains si les conditions sont favorables. Certaines plantes peuvent en mourir (en général des plantes faibles), mais la plupart récupèrent très bien. Habituellement on ne remarque la maladie que lorsqu'elle a fini son œuvre et qu'il y a un amas de tiges ou de feuilles mortes et pourrissantes. Dans ce cas, il y a peu besoin d'intervenir autrement qu'en coupant les sections mortes.

Peu à faire aussi pour prévenir la moisissure grise, qui a tendance à être très sporadique et dépendante de certaines conditions atmosphériques, sinon apprendre à arroser le matin plutôt que le soir et sans humidifier le feuillage.

> **Pourridié :** presque toute plante peut souffrir de pourridié (pourriture). Habituellement on remarque d'abord quelques feuilles endommagées, puis une inspection révèle que les racines ou la base de la plante sont noires ou brunes et sentent « la pourriture » (comme une pomme de terre pourrie). La

maladie est surtout fréquente quand le temps est frais et humide. Il n'y a pas grand-chose à faire, sauf arracher et détruire les plantes infestées. Même remarque pour prévenir la pourriture sinon s'assurer que le sol demeure bien drainé.

> **Verticilliose :** la tomate ne manque pas de maladies, dont plusieurs peuvent mener à son dépérissement. L'une est particulièrement courante et sévère : la verticilliose ou flétrissure verticillienne. Cette maladie est tellement fréquente que presque tous les plants de tomate vont en souffrir à un certain degré. Le truc, c'est de tout mettre en œuvre pour que vos tomates poussent bien ; ainsi, quand la maladie finit par les atteindre, elles seront tellement avancées qu'elle n'aura pas le temps de compléter son œuvre.

Le symptôme principal de la verticilliose chez la tomate est un dépérissement graduel, à partir de la base de la plante, des feuilles, qui jaunissent, brunissent et s'assèchent. Appliquez les préceptes du RESPECT (voir p. 8) et, surtout, choisissez des cultivars résistants (qui portent la lettre V à la suite de leur nom, tel qu'expliqué à la p. 58), et vous n'aurez pas de problèmes sérieux avec la verticilliose.

> **Virus :** les virus sont certainement les plus mystérieuses des maladies des plantes. Dans plusieurs cas, il n'y a aucun symptôme, sinon un manque de vigueur, et ainsi peuvent-ils passer inaperçus. Souvent la plante est atteinte de plusieurs virus et c'est leur accumulation avec le temps qui lui enlève sa vigueur. D'autres virus ont des symptômes plus évidents : la plante reste nanifiée, des bigarrures, des auréoles ou des mosaïques apparaissent sur les feuilles, les fruits peuvent être décolorés, etc. Parfois les virus sont transportés de plante en plante par des insectes comme les pucerons, les thrips, les aleurodes et les araignées rouges, mais parfois le vecteur principal est l'être humain (les fumeurs, par exemple, transmettent souvent la mosaïque du tabac aux plantes qu'ils manipulent).

Photo : www.jardinierparesseux.com

Les feuilles inférieures jaunissantes de cette tomate montrent des symptômes de verticilliose.

Photo : MAPAQ

La mosaïque du tabac (TMV) est très courante chez les tomates.

Dans bien des cas, on ne connaît pas le coupable. Quand on connaît le vecteur, il y a une possibilité de prévenir la maladie : on peut éliminer les insectes porteurs, et les fumeurs peuvent se laver les mains avant de toucher aux plantes. Une fois que la plante est infestée par un virus, il n'y a plus rien à faire sinon l'arracher et la brûler avant que le virus contamine d'autres végétaux.

Cela paraît peu croyable, mais plusieurs études ont démontré que l'acide salicylique (oui, l'aspirine) peut prévenir les virus chez les plantes. Si un insecte potentiellement porteur de virus fait son apparition, il pourrait être sage d'arroser les plantes avec de l'eau contenant de l'aspirine jusqu'à ce que ce vecteur soit sous contrôle. Notez que, jusqu'à maintenant, cet effet préventif n'a jamais été testé à l'extérieur des laboratoires… mais c'est néanmoins une idée à retenir.

Les carences : des simili-maladies

Nous avons déjà abordé la question des carences dans l'encadré *Un légume, qu'est-ce ça mange le matin ?* (voir p. 44) et dans *Les engrais* (voir p. 49). Une carence est un manque d'éléments minéraux et n'est pas une maladie comme telle, mais les symptômes – feuilles décolorées et déformées – peuvent laisser croire à une maladie. Comme il est difficile de déterminer l'élément qui manque, on traite habituellement le problème en vaporisant le feuillage avec un engrais complet (des algues liquides ou une émulsion de poisson). En général, tout rentre dans l'ordre très rapidement après le traitement… mais il vaut la peine de faire faire une analyse de sol par la suite pour voir d'où venait le problème.

Le contrôle des mauvaises herbes

Les mauvaises herbes sont très rares dans un potager entretenu selon les préceptes du RESPECT, car on commence en étouffant les mauvaises herbes déjà présentes avec du papier journal, puis on rajoute une couche de terre sans mauvaises herbes, enfin on installe et on maintient un paillis épais qui empêchera les mauvaises herbes de germer. Les rares plantes indésirables qui réussiront à pousser seront faciles à arracher, car le sol demeurera très meuble. Il suffit de replacer le paillis après l'arrachage pour redonner au système toute son efficacité contre les mauvaises herbes.

DEUXIÈME
PARTIE

LÉGUMES
POUR JARDINIER PARESSEUX

Dans cette deuxième partie, je vous présente bon nombre de légumes qui réussissent bien sous notre climat, à la fois des légumes classiques, comme la tomate, la carotte et la laitue, mais aussi quelques « nouveautés », comme la tétragone, la patate sucrée et l'arroche, qui mériteraient une place dans tous les potagers.

Notez bien que le but de ce livre est de vous présenter des « légumes ». D'autres plantes peuvent être cultivées dans un potager, comme des fines herbes et des fleurs comestibles, mais ce ne sont pas des légumes. J'en traiterai dans d'autres livres de la série *Les idées du jardinier paresseux*.

J'ai choisi surtout des légumes de culture facile avec lesquels la plupart des jardiniers peuvent avoir du succès. Je n'ai pas inclus de légumes qui exigent des conditions de culture particulières ou un entretien poussé, comme les arachides, l'artichaut ou le radicchio.

Les plantes sont présentées en ordre alphabétique de leur nom commun le plus populaire. Puisque certains ont plusieurs noms communs ou des noms qui varient d'une région à une autre, consultez l'index s'il y a un légume que vous ne trouvez pas.

Une fiche signalétique pour chaque légume présente en quelques mots, ses conditions de culture. Il est toutefois important de lire aussi la description, car elle contient des détails plus précis. Les principes de base de la culture des légumes ont été abordés dans la première partie.

Photo : www.jardinierparesseux.com

AIL À TIGE DURE, AIL ROCAMBOLE

Nom botanique : *Allium sativum ophioscorodon*

Famille : Liliacées

Type : légume-racine

Plantation (automne) : fin de l'été ou automne

Plantation (printemps) : dès que le sol s'assèche

Profondeur de plantation : 5 cm

Température (germination) : 13 °C

Température (post-germination) : 13 à 24 °C

Espacement final des plants : 10 à 12 cm

Espacement des rangs (sans interligne) : 10 à 12 cm

Espacement des rangs (avec interligne) : 25 cm

Exposition : plein soleil

Arrosage : moyen

Maturation (plantation automnale) : 270 à 300 jours

Maturation (plantation printanière) : 90 à 120 jours

Zone de rusticité : 5 (4 sous paillis)

Ennemis : mosaïque

AIL

L'ail est un curieux légume que l'on traite davantage comme une tulipe plutôt que comme un radis. On le plante à l'automne, sous forme de gousses (divisions de bulbe), en écartant tout simplement le paillis et en enfonçant la gousse dans le sol la pointe vers le haut ; on la recouvre de 3 cm de terre, puis on replace le paillis.

On *peut* planter l'ail au printemps, dès que le sol est sec, mais les gousses seront plus petites et se conserveront mal.

Hors sol, la plante produit une tige dressée ronde portant un éventail de quelques feuilles longues et aplaties. L'été, la tige s'allonge pour dessiner une boucle, portant un bouton floral à l'extrémité. Le bouton s'ouvre pour révéler de petites bulbilles et parfois quelques fleurs roses ou blanches. Les fleurs sont stériles et ne produisent pas de graines. Généralement on supprime la tige dès qu'elle se forme pour augmenter la taille des gousses, mais on peut la conserver et même la consommer, car elle est comestible, tout comme les fleurs et les bulbilles qu'elle produit.

On récolte l'ail dès que la moitié des feuilles ont jauni, vers la fin de l'été. Du bulbe, prélevez quelques gousses plus grosses et replantez-les pour assurer la production de l'été suivant. Vous pouvez laisser l'ail en terre afin qu'il forme une touffe et récolter annuellement une partie des bulbes ainsi produits.

Pour la conservation, faites sécher l'ail à l'ombre sur un grillage (de façon à assurer une bonne circulation de l'air), puis coupez les feuilles, la tige et les racines. On ne peut pas tresser l'ail à tige dure.

Il faut choisir une variété spécialement adaptée aux climats froids, comme 'German Extra-Hardy' ou 'Roja'. Évitez l'ail à tige molle (*A. sativum sativum*), soit l'ail du commerce, insuffisamment rustique pour notre climat.

Photo: www.jardinierparesseux.com

ARROCHE

Nom botanique : *Atriplex hortensis*

Famille : Chénopodiacées

Type : légume-feuille

Semis intérieur : 3 semaines avant le dernier gel

Semis direct : début du printemps à début de l'été

Profondeur du semis : 1,5 cm

Espacement des semis : 5 cm

Durée de germination : 7 à 14 jours

Température (germination) : 10 à 18 °C

Température (post-germination) : 10 à 24 °C

Transplantation : après le dernier gel

Espacement final des plants : 25 cm

Espacement des rangs (sans interligne) : 25 cm

Espacement des rangs (avec interligne) : 60 cm

Exposition : plein soleil, mi-ombre

Arrosage : modéré

Maturation : 45 jours

Durée de vie des semences : 5 ans

Ennemis : peu fréquents

ARROCHE

L'arroche est l'un des légumes européens les plus anciens. On l'utilise principalement comme substitut des épinards en été.

On peut la semer à l'intérieur pour obtenir une récolte plus hâtive, mais habituellement on la sème en pleine terre au printemps. On peut aussi faire des semis successifs durant tout l'été pour une récolte continuelle de jeunes plants.

C'est une plante dressée pouvant théoriquement atteindre 1,5 m de hauteur, mais elle dépasse rarement plus de 60 cm, car on récolte ses feuilles et ses jeunes tiges tendres, ce qui ralentit son évolution. Les feuilles matures peuvent aussi être consommées, mais cuites uniquement.

Il existe plusieurs lignées d'arroche blonde, verte ou rouge, mais cette dernière (*Atriplex hortensis rubra*) est la plus connue, car son feuillage rouge, pourpre ou bronze, selon la variété, en fait une très jolie plante qui ressort des autres légumes. On l'utilise aussi comme annuelle ornementale pour la plate-bande.

On peut cultiver l'arroche de deux façons. Normalement on cultive quelques plantes espacées de 25 cm pour la production continuelle de jeunes feuilles et pousses ; la récolte s'échelonne du début de l'été à l'automne. Par contre, si on arrête de récolter, la plante monte rapidement en graine et n'est plus utile. L'autre possibilité est de faire des semis successifs. Ainsi on peut récolter tout le plant quand il mesure environ 15 cm de hauteur. Dans ce cas, il suffit de prévoir 10 cm d'espacement entre les plants.

On peut manger les feuilles crues ou cuites, à la façon des épinards. L'arroche rouge, dont les feuilles rouges sont vraiment très jolies quand on les sert en salade, perdent leur coloration rouge à la cuisson.

Attention ! Si on la laisse monter en graine, l'arroche se ressèmera abondamment dans un sol non paillé.

Photo : www.jardinierparesseux.com

ASPERGE

L'asperge est un légume vivace à croissance lente. Comme une asperge peut donner 15 à 25 ans de récoltes, il lui faut un traitement différent de la plupart des autres légumes. On plante cette grande plante (150 cm) en permanence du côté nord du potager. On peut aussi facilement intégrer cette jolie plante aux feuilles très plumeuses dans la plate-bande.

Normalement on plante non pas des graines, mais des plants appelés « griffes », vendus à racine nue au printemps. Creusez un trou de 15 cm de profondeur, étalez bien les racines et recouvrez de 5 cm de terre; vous comblerez le trou quand les tiges, appelées turions, seront plus hautes. La récolte ne commencera que la troisième année.

On utilise moins souvent des semences, à moins de vouloir obtenir beaucoup de plants, car la récolte serait alors reportée à la quatrième année. Faites tremper les graines pendant 24 heures avant de les semer à l'intérieur ou à l'extérieur. Habituellement on sème les asperges en pépinière, puis on repique les plants à leur emplacement permanent au printemps suivant.

La récolte se fait en cassant ou en coupant les turions près de la base. Elle s'échelonne sur quatre à six semaines, prenant fin quand les turions commencent à être plus minces.

On peut aussi faire une récolte estivale. Dans ce cas, ne récoltez pas au printemps et rabattez les plantes à 5 cm du sol à la mi-juillet. Vous obtiendrez de nombreux turions comestibles en août.

La rusticité des asperges est variable : recherchez toujours des lignées extra-rustiques. Les mâles, comme 'Jersey King' et 'Jersey Knight', sont plus productifs.

Rabattez les tiges mortes au printemps.

On peut tolérer la présence des criocères si les dommages sont limités. Sinon, traitez les plants atteints au savon insecticide ou à l'ail.

ASPERGE

Nom botanique : *Asparagus officinalis*

Famille : Liliacées

Type : légume-feuille

Semis intérieur : 8 semaines avant le dernier gel

Semis direct : 3 semaines avant le dernier gel

Profondeur du semis : 5 cm

Espacement des semis : 8 à 13 cm

Durée de germination : 10 à 12 jours

Température (germination) : 25 °C

Température (post-germination) : 16 à 24 °C

Transplantation : 21 jours avant le dernier gel

Espacement final des plants : 45 cm

Espacement des rangs (sans interligne) : 45 cm

Espacement des rangs (avec interligne) : 120 cm

Exposition : plein soleil, tolère la mi-ombre

Arrosage : abondant

Maturation : milieu du printemps à début de l'été

Durée de vie des semences : 3 ans

Zone de rusticité : 3

Ennemis : criocère à 12 points, criocère de l'asperge

Photo : www.jardinerpäresseux.com

AUBERGINE

Nom botanique : *Solanum melongena*

Famille : Solanacées

Type : légume-fruit

Semis intérieur : 8 semaines avant le dernier gel

Profondeur du semis : 0,6 cm

Espacement des semis (caissette) : 2,5 cm

Espacement des semis (godet) : 3 graines par godet de 10 cm

Durée de germination : 7 jours

Température (germination) : 25 à 30 °C

Température (post-germination) : 16 à 24 °C

Premier éclaircissage/repiquage : 1 plant par pot de 10 cm
   à l'apparition des 2 premières vraies feuilles

Transplantation : 2 semaines après le dernier gel

Espacement final des plants : 45 cm

Espacement des rangs (sans interligne) : 45 cm

Espacement des rangs (avec interligne) : 60 cm

Exposition : plein soleil

Arrosage : moyen

Maturation (après transplantation) : 60 à 80 jours

Durée de vie des semences : 4 ans

Ennemis : altise, doryphore de la pomme de terre, verticilliose

AUBERGINE

L'aubergine est « à la limite » de ses possibilités dans nos régions : son besoin de chaleur fait en sorte qu'il lui faut l'emplacement le plus chaud possible. Ne la sortez surtout pas trop tôt au printemps.

Semez-la à l'intérieur, de préférence en godet de tourbe, et éclaircissez à un seul plant par godet de 10 cm. Si vous la semez en caissette, repiquez les semis quand ils n'ont que deux vraies feuilles, pour ne pas déranger le système racinaire devenu plus fragile quand la plante est établie. Dans les deux cas, il faut une bonne chaleur pour la germination : un tapis chauffant peut être utile.

Attendez que les températures nocturnes soient au-dessus de 16 °C avant de la transplanter en pleine terre, normalement environ deux semaines après la date du dernier gel, et plantez-la assez profondément pour enterrer la tige inférieure. Même là, il est sage de la recouvrir d'une cloche, d'un tunnel ou d'une couverture flottante au début, ce qui a le deuxième avantage de tenir à distance les altises et les doryphores. Une fois bien établie, l'aubergine devient plus résistante à ses ennemis. Dans les régions aux étés froids, ce légume se cultive toujours sous abri : on ouvre le jour en été pour laisser entrer les insectes pollinisateurs et on referme le soir pour garder la chaleur.

Récoltez les fruits avant leur pleine maturité, quand leur épiderme est luisant et cède encore sous la pression d'un doigt. On peut même récolter les fruits à la moitié de la taille adulte de la variété afin d'avoir une récolte plus hâtive. On incite alors la plante à produire plus de fruits, de surcroît.

La rotation préviendra la verticilliose.

Recherchez des variétés adaptés aux climats froids, comme 'Morden Midget'.

Photo: www.jardinierparesseux.com

BETTE À CARDE

Nom botanique : *Beta vulgaris cicla*

Famille : Chénopodiacées

Type : légume-feuille

Semis direct : 2 à 3 semaines avant le dernier gel

Profondeur du semis : 1 à 2 cm

Espacement des semis : 5 mm

Durée de germination : 5 à 7 jours

Température (germination) : 10 à 29 °C

Température (post-germination) : 16 à 18 °C

Éclaircissage : à 10 à 15 cm quand les plants ont 4 à 6 feuilles

Espacement final des plants (récolte du plant entier) :
    10 à 15 cm

Espacement final des plants (récolte feuille par feuille) :
    20 à 25 cm

Espacement des rangs (sans interligne) : 10 à 25 cm

Espacement des rangs (avec interligne) : 45 cm

Exposition : plein soleil

Arrosage : modéré

Maturation : 60 jours

Durée de vie des semences : 4 ans

Ennemis : peu fréquents

BETTE À CARDE

Voici un légume de culture facile qui était peu connu jusqu'à assez récemment, mais devenu un « classique » du potager familial pour sa facilité de culture et sa récolte abondante durant tout l'été. La bette à carde est en fait la même plante que la betterave (fiche suivante), mais développée pour ses feuilles aux pétioles épais plutôt que pour sa racine. On mange les feuilles fraîches ou cuites comme des épinards.

Notez que ce légume est offert dans une jolie gamme de couleurs de pétioles (blanc, rose, jaune, orange, rouge, etc.) et que son feuillage aussi, vert ou pourpre, est attrayant. Il est donc idéal pour l'aménagement comestible.

Semez à l'extérieur deux à trois semaines avant le dernier gel. La « graine » de la bette à carde est en fait une « glomérule » composée de plusieurs graines. L'éclaircissage, quand les plants ont quatre à six feuilles, est donc toujours obligatoire, mais au moins on peut cuisiner le résultat !

L'espacement entre les semis dépend de l'usage auquel vous les destinez. Si vous préférez récolter les légumes tout d'un coup, espacez les plants de 10 à 15 cm. À la récolte, coupez la plante à 2,5 cm au-dessus du sol plutôt que de l'arracher, et elle repoussera pour une récolte automnale. L'autre choix, c'est d'espacer les plants davantage (20 à 25 cm) et de récolter des feuilles une à la fois, en coupant les feuilles d'extérieur de rosette. Ainsi la plante produira tout l'été et restera toujours attrayante.

La récolte se prolonge tard à l'automne, car la bette à carde est résistante aux gels légers.

Aucune semence n'est produite, car cette bisannuelle ne survit normalement pas à l'hiver sous notre climat.

'Bright Lights', à pétioles multicolores, est le cultivar le plus populaire.

Photo : www.jardinierparesseux.com

BETTERAVE

La betterave est bien connue de tous, et sa belle racine ronde et rouge pourpre est un classique de la cuisine, cuite ou marinée. Son feuillage aussi est comestible. La betterave et la bette à carde (fiche précédente) sont d'ailleurs la même plante botaniquement parlant, l'une ayant été développée pour sa racine, l'autre pour son feuillage.

Semez à l'extérieur assez tôt : les graines germeront quand le sol arrive à une température acceptable. Les « graines » ne sont pas de véritables graines, mais des « glomérules » composées de plusieurs graines. Même quand on fait très attention à l'espacement des semis, il pousse toujours plusieurs plants ensemble. On les éclaircit quand ils ont de quatre à six vraies feuilles, ce qui donne une première récolte de feuilles. Quand les plants se touchent de nouveau, on peut faire une deuxième récolte, cette fois de feuilles et de petites racines très tendres. À maturité complète, on récoltera la racine, maintenant de sa pleine taille. On peut faire des semis successifs jusqu'à la mi-été. Faites la dernière récolte pour obtenir des betteraves de conservation.

Notez qu'aucune semence n'est normalement produite : la betterave est une bisannuelle qui fleurirait la deuxième année, mais elle ne survit pas toujours à l'hiver sous notre climat.

Il existe des betteraves d'autres couleurs que le rouge-pourpre (jaunes, roses et même blanches), ainsi que des betteraves à racines cylindriques, comme 'Formanova' et 'Cylandra' : elles sont plus productives et plus faciles à trancher.

La cercosporose est une maladie fongique qui produit des taches foliaires, alors que la gale, une maladie bactérienne, cause des lésions liégeuses sur les racines. On les voit peu dans les potagers paillés où l'on pratique la rotation.

BETTERAVE

Nom botanique : *Beta vulgaris crassa*

Famille : Chénopodiacées

Type : légume-racine

Semis direct : 3 à 4 semaines avant le dernier gel

Profondeur du semis : 1,25 cm

Espacement des semis : 2,5 cm

Durée de germination : 5 jours

Température (germination) : 24 à 29 °C

Température (post-germination) : 18 à 24 °C

Espacement final des plants : 7,5 cm

Espacement des rangs (sans interligne) : 7,5 cm

Espacement des rangs (avec interligne) : 30 cm

Exposition : plein soleil

Arrosage : modéré

Maturation : 55 à 70 jours

Durée de vie des semences : 4 ans

Ennemis : cercosporose, gale commune

Photo: www.jardinierparesseux.com

BROCOLI

Nom botanique : *Brassica oleracea italica*

Famille : Crucifères

Type : légume-feuille (fleur)

Semis intérieur : 8 semaines avant le dernier gel

Semis direct : 2 semaines avant le dernier gel

Profondeur du semis : 0,6 cm

Espacement des semis : 2,5 cm

Durée de germination : 2 à 4 jours

Température (germination) : 21 à 27 °C

Température (post-germination) : 16 à 18 °C

Transplantation : 2 ou 3 semaines avant le dernier gel (sous abri)

Espacement final des plants : 40 cm

Espacement des rangs (sans interligne) : 40 cm

Espacement des rangs (avec interligne) : 75 à 90 cm

Exposition : plein soleil

Arrosage : modéré

Maturation (après transplantation) : 50 à 80 jours

Durée de vie des semences : 3 ans

Ennemis : altise du chou, mouche du chou, ver gris, puceron, piéride du chou, fausse-arpenteuse du chou, hernie du chou, mildiou, nervation noire

BROCOLI

Le brocoli est essentiellement un chou annuel, car il dérive de la même plante que le chou (*Brassica oleracea*), une bisannuelle, mais il fleurit le premier été. Il est si proche du chou-fleur (voir p. 128) qu'il n'est pas toujours facile de les distinguer. Les brocolis pourpres, par exemple, sont vraiment « entre deux » et sont offerts comme choux-fleurs pourpres dans plusieurs catalogues.

On peut cultiver le brocoli de deux façons : pour une récolte hâtive (plus complexe, mais qui n'aime pas une primeur ?) ou pour une récolte automnale (plus facile). Il y a des cultivars désignés pour chaque culture, comme 'Early Emerald' ou 'Goliath' (brocolis hâtifs) et 'Arcadia' ou 'Marathon' (brocolis tardifs).

On sème le brocoli hâtif à l'intérieur, le repiquant au jardin tôt, deux ou trois semaines avant le dernier gel, en recouvrant la base des tiges de 2,5 cm de terre et en le plaçant sous abri (cloche, tunnel, couverture flottante) pour protéger les plants à la fois contre le gel et contre les ravageurs. On enlève l'abri à la mi-juin ou quand la température se réchauffe. On récolte le brocoli quand les boutons sont bien serrés et verts, en coupant la tige la plus longue possible. Laissez la plante en terre : avec un peu de chance, elle produira une succession de pousses supplémentaires le reste de l'été.

Pour le brocoli d'automne, semez en pleine terre deux semaines avant le dernier gel ou à l'intérieur cinq semaines avant le dernier gel, puis transplantez en pleine terre en juin.

Attention ! Le brocoli tolère mal la canicule : il faut toujours le pailler pour garder le sol frais et humide.

Une combinaison de rotation, de culture sous couverture flottante et de traitements d'appoint (dont la récolte manuelle des chenilles) aidera à combattre ses nombreux ennemis.

Photo : www.jardinierparesseux.com

CAROTTE

Nom botanique : *Daucus carotta sativus*

Famille : Ombellifères

Type : légume-racine

Semis direct : 3 semaines avant le dernier gel

Profondeur du semis : 0,6 à 1,5 cm

Espacement des semis : 1 cm

Durée de germination : 7 à 20 jours

Température (germination) : 24 °C

Température (post-germination) : 16 à 21 °C

Première éclaircissage : à 2 à 3 cm quand les feuilles
se touchent

Deuxième éclaircissage : à 5 à 8 cm quand les feuilles
se touchent

Espacement des rangs (sans interligne) : 5 à 8 cm

Espacement des rangs (avec interligne) : 15 à 20 cm

Exposition : plein soleil, tolère la mi-ombre

Arrosage : modéré

Maturation : 50 à 70 jours

Durée de vie des semences : 3 ans

Ennemis : mouche de la carotte, alternariose, cercosporose

CAROTTE

La carotte est très populaire auprès de tous les jardiniers, et vous serez encore plus satisfait des résultats
obtenus dans une couche surélevée au sol meuble
et bien paillé, car la racine sera belle et longue,
plutôt que petite et fourchue comme dans les sols
lourds, pierreux, compactés et chauds du potager
traditionnel.

Semez les carottes trois semaines avant le dernier gel
(si le temps est anormalement froid, attendez que des
températures saisonnières soient revenues). Pour les
carottes de conservation, qui passeront tout l'été en
terre, semez plus tard, soit après le dernier gel.

Semez les graines de carotte à la volée ou une par
une. Si vous choisissez cette dernière technique, pliez
un papier en V et versez-y les graines (voir p. 64).
En tenant ce « semoir » obliquement au-dessus de
la surface du terreau, tapotez doucement tout en
le faisant avancer et les graines tomberont une à la
fois. La germination est souvent lente et irrégulière,
surtout pour le premier semis du printemps, et les
plantes poussent lentement au début. Cela vous empêchera de replacer le paillis avant plusieurs semaines.
Vous aurez le temps de faire un premier éclaircissage
auparavant. Remettez quand même le paillis dès que
possible : les carottes aiment que leurs feuilles soient
au chaud, mais leurs racines au frais.

Récoltez vos premières petites carottes au deuxième
éclaircissage et procédez à la récolte principale
quand, en fouillant sous le paillis avec vos doigts,
vous pouvez sentir une belle carotte bien formée.
On récolte en tirant sur les feuilles tout simplement.

Pour éviter les ennemis de la carotte, pratiquez toujours une rotation. Si vous avez eu des problèmes
de mouche de la carotte dans le passé, plantez des
carottes qui ne les attirent pas, comme 'Flyaway'
et 'Resistafly'. Préférez des carottes naines, comme
'Thumbelina', pour la culture en pot.

Photo: www.jardinierparesseux.com

CÉLERI

Nom botanique : *Apium graveolens dulce*

Famille : Ombellifères

Type : légume-feuille

Semis intérieur : 8 à 10 semaines avant le dernier gel

Profondeur du semis : recouvrir à peine de terreau

Espacement des semis : à la volée dans une caissette

Durée de germination : 7 à 20 jours

Température (germination) : 18 à 24 °C

Température (post-germination) : 16 à 21 °C

Premier éclaircissage/repiquage : lorsque les premières vraies feuilles apparaissent

Transplantation : après le dernier gel

Espacement final des plants : 20 cm

Espacement des rangs (sans interligne) : 20 cm

Espacement des rangs (avec interligne) : 40 cm

Exposition : plein soleil, tolère la mi-ombre

Arrosage : modéré

Maturation (après transplantation) : 100 jours

Durée de vie des semences : 3 ans

Ennemis : papillon du céleri, punaise terne, cercosporose, septoriose

CÉLERI

Le céleri est considéré comme un légume « difficile », mais ce n'est le cas que si vous avez l'habitude de biner, une technique qui dérange les racines superficielles de ce légume. Sous un bon paillis, on peut obtenir une récolte superbe sans trop de peine… et sans grains de sable au milieu des pétioles, si irritants en culture traditionnelle.

Semez ce légume à l'intérieur, à la volée en caissette ou à raison de trois graines par pot ou alvéole, en recouvrant à peine les graines, qui ont besoin de lumière pour germer. La germination est irrégulière. Quand les vraies feuilles apparaissent, éclaircissez à 5 cm d'espacement ou ne conservez qu'un plant par pot ou alvéole. Vous pouvez, bien sûr, consommer les semis éclaircis.

Attendez que la température diurne dépasse 13 °C et la température nocturne 4 °C avant de les transplanter en pleine terre. Si le printemps est tardif, il peut être utile d'étendre un paillis plastique sur l'emplacement de plantation pour réchauffer le sol auparavant.

Autrefois on buttait la base des tiges pour les « blanchir » (les rendre pâles et plus digestes), mais les cultivars modernes de céleri n'ont pas besoin de blanchiment pour être de bonne qualité.

Selon la tradition maraîchère, on doit récolter toute la plante à la fin de la saison, mais dans le potager domestique, il est plus intéressant de récolter les pétioles d'extérieur à mesure de ses besoins, ce qui laisse quand même un beau plant à récolter à l'automne. On peut aussi empoter quelques plants et les planter en pot à l'automne, puis les conserver en chambre froide pour une récolte hivernale.

Les céleris matures tolèrent un peu de gel, mais étant donné l'incertitude de notre climat, il vaut mieux utiliser des variétés à maturation rapide, comme 'Ventura'.

Photo: www.jardinierparesseux.com

CÉLERI-RAVE

Nom botanique : *Apium graveolens rapaceum*

Famille : Ombellifères

Type : légume-racine

Semis intérieur : 8 à 10 semaines avant le dernier gel

Profondeur du semis : 1 cm

Espacement des semis : à la volée dans une caissette

Durée de germination : 12 à 20 jours

Température (germination) : 18 à 24 °C

Température (post-germination) : 16 à 21 °C

Premier éclaircissage : à l'apparition des premières
    vraies feuilles

Transplantation : après le dernier gel

Espacement final des plants : 25 à 30 cm

Espacement des rangs (sans interligne) : 25 à 30 cm

Espacement des rangs (avec interligne) : 40 cm

Exposition : plein soleil

Arrosage : modéré

Maturation (après transplantation) : 120 jours

Durée de vie des semences : 3 ans

Ennemis : papillon du céleri, punaise terne, cercosporose,
    septoriose

CÉLERI-RAVE

Le céleri-rave est un légume délicieux peu connu chez nous, mais populaire en Europe. Il a un doux goût de céleri, mais il est plus facile à conserver. Il dérive du même ancêtre que le céleri, soit le céleri sauvage (*Apium graveolens silvestre*).

Comme il demande une longue saison de culture, démarrez le céleri-rave à l'intérieur 8 à 10 semaines avant le dernier gel. On peut soit le semer à la volée en caissette soit semer trois graines par alvéole, en recouvrant à peine les graines de terre, car elles ont besoin de lumière pour germer. La germination est bonne mais souvent irrégulière.

On éclaircit quand les premières vraies feuilles apparaissent, à environ 5 cm d'espacement ou en laissant un plant par pot ou alvéole. Ces petites plantes sont déjà comestibles.

Transplantez les plants en pleine terre après le dernier gel, quand le sol s'est un peu réchauffé et que les nuits ne sont plus très froides. Le céleri-rave peut devenir fibreux ou son cœur peut noircir s'il manque d'humidité durant sa période de croissance, c'est donc dire que le paillis est vital.

On peut commencer à récolter quand la racine renflée a atteint la taille d'une balle de tennis, mais, dans le cas des sujets à conserver l'hiver (la racine peut se conserver facilement cinq mois en chambre froide), laissez-les en terre encore plus longtemps, jusqu'après les premiers gels légers. Il n'est pas possible de récolter les semences de céleri-rave sous notre climat, car c'est une bisannuelle qui ne survit pas aux froids hivernaux.

Pour autant qu'on fasse une rotation annuelle, le céleri-rave est peu vulnérable aux insectes et aux maladies. L'exception est la larve du papillon porte-queue du céleri, qu'il suffit tout simplement de déplacer sur une ombellifère sauvage. 'Giant Prague' est le cultivar classique.

Photo: www.jardinierparesseux.com

CERISE DE TERRE

La cerise de terre fait encore office de nouveauté chez nous. Pourtant, elle est plus facile à cultiver que toute autre Solanacée et est très utile en cuisine, pas seulement comme garniture comme on nous la présente au restaurant, mais aussi en confiture, en coulis et même dans l'assiette, servie à la manière d'une petite tomate.

Semez cette plante lente à mûrir dans la maison, huit à neuf semaines avant le dernier gel. On peut la semer à la volée dans une caissette, en recouvrant les graines de 0,6 cm de terreau. Éclaircissez ou repiquez les plants quand les deux premières vraies feuilles se sont formées. Comme ils poussent assez rapidement, mieux vaut les repiquer tout de suite dans un pot ou un godet de 10 cm.

Transplantez les plants en pleine terre quand il n'y a plus de risque de gel et que la température s'est réchauffée. Dans le Nord, il peut être nécessaire de la cultiver sous abri au moins une partie de l'été, bien qu'elle soit plus tolérante au froid que sa cousine la tomate.

C'est une belle plante dressée aux fleurs jaunes donnant des capsules papyracées vertes non dénuées d'attrait. D'ailleurs la cerise de terre mérite tout autant une place dans la plate-bande que dans le potager en raison de sa beauté.

À l'intérieur de la capsule, il y a un fruit qui deviendra jaune ou orangé à maturité. Attendez que les capsules deviennent beiges et qu'elles tombent avec le fruit à l'intérieur: c'est signe que le fruit est pleinement mûr.

La cerise de terre a peu d'ennemis. Assurez-vous cependant de ramasser tous les fruits tombés, car elle pourrait se ressemer spontanément un peu trop abondamment. Les semences sont d'ailleurs faciles à extraire et à sécher pour l'année suivante. On offre surtout l'espèce (*p.pruinosa*), mais parfois aussi *p.peruviana,* plus lent à mûrir (120 jours et plus).

CERISE DE TERRE

Nom botanique: *Physalis pruinosa*

Famille: Solanacées

Type: légume-fruit

Semis intérieur: 8 à 9 semaines avant le dernier gel

Profondeur du semis: 0,6 cm

Espacement des semis: à la volée dans une caissette

Durée de germination: 10 à 14 jours

Température (germination): 20 à 29 °C

Température (post-germination): 27 à 32 °C

Premier éclaircissage/repiquage: 1 plant par pot de 10 cm
    quand les 2 premières vraies feuilles sont formées

Transplantation: quand le sol se réchauffe

Espacement final des plants: 45 cm

Espacement des rangs (sans interligne): 45 cm

Espacement des rangs (avec interligne): 60 cm

Exposition: plein soleil

Arrosage: modéré

Maturation (après transplantation): 75 à 90 jours

Durée de vie des semences: 8 à 10 ans

Ennemis: peu fréquents

Photo : www.jardinierparesseux.com

CHOU

CHOU

Nom botanique : *Brassica oleracea capitata*

Famille : Crucifères

Type : légume-feuille

Semis intérieur (chou hâtif) : 5 semaines avant
le dernier gel

Semis direct (chou tardif) : 10 à 12 semaines avant
le premier gel d'automne

Profondeur du semis : 1 cm

Espacement des semis : 60 à 80 semences par caissette

Durée de germination : 5 jours

Température (germination) : 24 à 29 °C

Température (post-germination) : 16 à 18 °C

Premier éclaircissage/repiquage (semis intérieur) :
à l'apparition des 2 premières vraies feuilles, à 5 cm
d'espacement

Premier éclaircissage (semis direct) : à l'apparition
des 6 premières vraies feuilles, à l'espacement final

Transplantation : après la ponte de la mouche du chou,
soit vers la mi-juin

Espacement final des plants : 30 cm pour les variétés
hâtives, 45 cm pour les variétés tardives

Espacement des rangs (sans interligne) : 30 cm pour
les variétés hâtives, 45 cm pour les variétés tardives

Espacement des rangs (avec interligne) : 60 cm

Exposition : plein soleil

Arrosage : modéré

Maturation : 60 à 110 jours

Durée de vie des semences : 4 ans

Ennemis : mouche du chou, altise du chou, ver gris,
puceron, piéride du chou, fausse-arpenteuse du chou,
hernie du chou, mildiou, nervation noire

Que de variétés de choux ! Choux verts, rouges, de Savoie ; choux hâtifs (choux d'été) et tardifs (choux d'hiver). La variété que vous choisirez dépend surtout de vos goûts, mais il vaut la peine de cultiver à la fois des choux hâtifs et des choux tardifs, les premiers pour consommation rapide durant une bonne partie de l'été, les derniers pour la conservation hivernale.

On sème habituellement le chou d'été à la volée en caissette, environ cinq semaines avant le dernier gel, et on les éclaircit ou on les repique dans des pots ou godets de tourbe quand les deux premières véritables feuilles sont visibles, en enterrant les tiges jusqu'aux cotylédons. Ne les transplantez pas avant la mi-juin. Ainsi vous éviterez la première génération d'un de leurs pires ennemis : la mouche du chou.

On peut semer les choux tardifs à l'intérieur, mais il est plus pratique de les semer en pleine terre environ 10 à 12 semaines après le dernier gel. Recouvrez les semis d'une couverture flottante. D'ailleurs, une couverture flottante est recommandée pour tous les choux de manière à empêcher les insectes de les atteindre. On l'enlève quand les pommes commencent à se former et que la température devient chaude.

Maintenez une bonne humidité pour éviter l'éclatement des pommes. Récoltez les choux d'été quand ils ont une bonne taille. Il faut les couper en sectionnant la tige à environ 5 cm du sol. Ainsi ils formeront peut-être d'autres pommes plus petites sur ce qu'il reste de la tige avant la fin de l'été. Récoltez les choux d'hiver après deux ou trois gels : leur goût n'en sera que meilleur.

Recherchez des cultivars résistants aux maladies et faites toujours une rotation. Il est toutefois difficile de contrôler les insectes sans utiliser de couverture flottante. De plus, il faut ramasser quelques chenilles à la main.

Photo : www.jardinierparesseux.com

CHOU DE BRUXELLES

Le chou de Bruxelles est un dérivé du chou qui a conservé la haute tige des choux sauvages, mais qui produit des petits choux pommés à l'aisselle de ses grandes feuilles.

On peut le semer en pleine terre à la fin du printemps, mais il est plus pratique de le semer à l'intérieur quatre à six semaines avant le dernier gel. Repiquez ou éclaircissez les semis quand ils atteignent 12 cm de hauteur, en enterrant la partie inférieure de la tige jusqu'à la hauteur des cotylédons. Ne transplantez pas les semis trop tôt : attendez la mi-juin, quand la période principale de ponte de la mouche du chou est terminée.

Le chou de Bruxelles apprécie plus la fraîcheur que tous les autres choux et profite donc énormément d'un bon paillis qui empêche le soleil de trop réchauffer le sol.

Récoltez les premières petites pommes à la fin de l'été pour les cultivars hâtifs, mais laissez les autres en terre le plus longtemps possible, car le goût des choux de Bruxelles se trouve grandement amélioré par quelques gels automnaux. La plante est d'ailleurs résistante même à des gels assez sévères (jusqu'à −15 °C).

Comme les autres choux, le chou de Bruxelles est vulnérable à tout un lot d'insectes et de maladies. On peut éviter le pire en combinant de bonnes pratiques de jardinage, notamment la rotation, la sélection de variétés naturellement résistantes, une plantation retardée pour éviter la mouche du chou et la protection d'une couverture flottante. Il est toutefois moins sujet aux ravages dus à la piéride du chou (la larve de ce petit papillon blanc qui fréquente nos jardins). Évitez les engrais riches en azote pour prévenir les pucerons.

'Jade Cross' et 'Oliver' sont de bonnes variétés hâtives. Il existe aussi des choux de Bruxelles rouges.

CHOU DE BRUXELLES

Nom botanique : *Brassica oleracea gemmifera*

Famille : Crucifères

Type : légume-feuille

Semis intérieur : 4 à 6 semaines avant le dernier gel

Semis direct : fin du printemps pour une récolte automnale

Profondeur du semis : 0,6 cm

Espacement des semis : 20 à 25 graines par caissette

Durée de germination : 2 à 4 jours

Température (germination) : 24 à 27 °C

Température (post-germination) : 16 à 18 °C

Premier éclaircissage/repiquage : quand les plants mesurent 12 cm

Transplantation : après la ponte de la mouche du chou, soit vers la mi-juin

Espacement final des plants : 45 cm

Espacement des rangs (sans interligne) : 45 cm

Espacement des rangs (avec interligne) : 60 cm

Exposition : plein soleil, tolère la mi-ombre

Arrosage : modéré

Maturation (après transplantation) : 90 à 120 jours

Durée de vie des semences : 4 ans

Ennemis : mêmes que le chou

CHOU FRISÉ (KALE)

Le chou frisé est un chou qui ne forme pas de pomme, mais plutôt une grande rosette sur une tige dressée. La plupart des variétés cultivées présentent des feuilles cloquées sinon fortement ondulées, d'où le nom de « chou frisé »; « kale » est le nom anglais. Son goût est généralement plus fort que le chou pommé, mais en contrepartie il est plus riche en vitamines et minéraux. Il est aussi fortement ornemental et s'intègre très bien à l'aménagement comestible.

On peut semer le chou frisé en pleine terre au printemps, mais le problème est qu'il sera alors très vulnérable à la mouche du chou; on peut prévenir ce problème en le recouvrant d'une couverture flottante. Idéalement on le sèmera à l'intérieur, environ six semaines avant le dernier gel, pour le transplanter quand la saison de ponte de l'insecte sera terminée, à la mi-juin. Une autre possibilité est de le semer à la mi-juin, quand la mouche n'est plus un problème.

Comme on récolte ce chou feuille par feuille à partir de la base, la récolte peut commencer très tôt, après environ 55 jours, et se poursuivre le reste de l'été. Comme la plupart des autres choux, son goût est meilleur à l'automne après qu'il a subi quelques gels. Il est d'ailleurs bien résistant au froid.

Les conseils contre les prédateurs qui s'appliquent aux autres choux sont valables ici aussi : rotation, sélection de variétés résistantes, couverture flottante pour les semis hâtifs en pleine terre… et surveillance constante en cas de piéride du chou.

Les cultivars à feuilles rouges, comme 'Redbor' et 'Red Russian', sont très populaires, mais on peut aussi semer des « choux d'ornement », dont le centre devient rouge, rose ou blanc à l'automne. Ils sont aussi productifs que les autres et beaucoup plus jolis.

Photo : www.gardinierparesseux.com

CHOU FRISÉ, KALE

Nom botanique : *Brassica oleracea acephala*

Famille : Crucifères

Type : légume-feuille

Semis intérieur : 6 semaines avant le dernier gel

Semis direct : fin du printemps à début de l'été

Profondeur du semis : 1,25 cm

Espacement des semis : 5 cm

Durée de germination : 5 à 7 jours

Température (germination) : 7 à 35 °C

Température (post-germination) : 16 à 18 °C

Transplantation : après la ponte de la mouche du chou, soit vers la mi-juin

Espacement final des plants : 40 cm

Espacement des rangs (sans interligne) : 40 cm

Espacement des rangs (avec interligne) : 60 cm

Exposition : plein soleil, tolère la mi-ombre

Arrosage : modéré

Maturation : 55 jours et plus

Durée de vie des semences : 4 ans

Ennemis : mêmes que le chou

Photo: www.jardinierparesseux.com

CHOU-FLEUR

Nom botanique : *Brassica oleracea botrytis*

Famille : Crucifères

Type : légume-feuille (légume-fleur)

Semis intérieur : 8 semaines avant le dernier gel

Semis direct : fin du printemps pour récolte automnale

Profondeur du semis : 0,6 cm

Espacement des semis : 5 cm

Durée de germination : 2 à 4 jours

Température (germination) : 27 ˚C

Température (post-germination) : 16 à 18 ˚C

Transplantation : 30 jours avant le dernier gel

Espacement final des plants : 40 cm

Espacement des rangs (sans interligne) : 40 cm

Espacement des rangs (avec interligne) : 75 à 90 cm

Exposition : plein soleil

Arrosage : modéré

Maturation (après transplantation) : 70 jours

Durée de vie des semences : 4 ans

Ennemis : mêmes que le chou

CHOU-FLEUR

Le chou-fleur est le plus fragile des choux : commencez d'abord avec le brocoli, auquel il est très apparenté, et quand vous aurez eu un bon succès avec ce dernier, il sera temps de tenter le chou-fleur.

Il y a bien sûr des choux-fleurs blancs, mais aussi des orange, des verts et des pourpres, ces derniers étant plus proches du brocoli. Les variétés orange et vertes sont les plus faciles à cultiver, car il n'est pas nécessaire de protéger leur pomme contre le soleil.

On peut faire deux semis de chou-fleur : à l'intérieur, huit semaines avant le dernier gel, pour une récolte hâtive, et en pleine terre, à la mi-juin, pour une récolte à la fin de l'été.

Pour une récolte hâtive, semez en caissette et transplantez les plants quand ils ont quatre vraies feuilles, en recouvrant leur base de terre, deux ou trois semaines avant le dernier gel, sous une cloche ou un tunnel. Ainsi ils seront à l'abri des ravageurs et du gel. Laissez l'abri sur place jusqu'à la mi-juin. Quand la pomme mesure environ 5 à 7 cm de diamètre, il est temps de la blanchir (seulement dans le cas des choux-fleurs blancs) en attachant les feuilles ensemble par-dessus de la pomme. Vous trouverez les variétés auto-enveloppantes plus faciles à blanchir, car leurs feuilles se recourbent tout naturellement au-dessus de la pomme, ce qui les rend plus faciles à manipuler. Vérifiez l'état de la pomme aux trois ou quatre jours ; il faut la récolter assez rapidement, quand elle est encore assez solide.

Pour le semis en pleine terre, procédez vers la mi-juin. Comme la pomme se formera à la fin de l'été ou à l'automne et sera moins exposée à la chaleur, il sera plus facile d'avoir du succès.

Le chou-fleur souffre des mêmes ravageurs que le chou. Une rotation et le choix de variétés résistantes aideront à éviter les pires problèmes, mais il faut aussi surveiller et être prêt à agir quand on trouve des chenilles sur la plante. 'Snow Crown' est un bon cultivar blanc ; 'Cheddar' est un chow-fleur orange.

Photo : www.jardinierparesseux.com

CHOU-RAVE

Le chou-rave est un légume curieux. Avec sa tige renflée, on dirait un légume-racine, mais comme ce « bulbe » se forme entièrement hors du sol, on le considère comme un légume-feuille. C'est en fait une mutation du chou dont c'est la tige renflée qui est consommée. Elle a un goût plus doux que les autres choux et fait un bon choix pour les « gens qui n'aiment pas les choux ».

On pourrait théoriquement semer ce légume à l'intérieur, mais il réussit si bien en pleine terre qu'on ne sent pas souvent le besoin de le faire. Comme il arrive assez rapidement à maturité, on le sèmera aux quatre semaines jusqu'à un mois avant le gel d'automne pour une récolte continue. En période estivale, il vaut mieux récolter les choux-raves plutôt jeunes, quand leur « bulbe » mesure 5 à 7 cm de diamètre, car, sous l'effet de la chaleur, ils peuvent devenir fibreux si on les laisse atteindre leur pleine taille. Pour la dernière récolte, par contre, on peut les laisser grossir à 10 cm ou un peu plus : à cette taille, ils sont plus faciles à conserver.

Même si le chou-rave est un chou, donc théoriquement aussi vulnérable aux ravageurs que les autres choux, il est souvent peu touché par les insectes et les maladies. Les altises, par contre, peuvent être suffisamment problématiques pour exiger une culture sous couverture flottante.

Il y a peu de choix de variétés : habituellement on ne retrouve que 'White Vienna', à bulbe vert pâle, et 'Purple Vienna', à bulbe pourpre. Comme on les pèle avant la cuisson et que l'intérieur est blanc dans les deux cas, la couleur importe peu.

CHOU-RAVE

Nom botanique : *Brassica oleracea gongylodes*

Famille : Crucifères

Type : légume-racine

Semis direct : toutes les 4 semaines en commençant 1 mois avant le dernier gel

Profondeur du semis : 6 à 1,5 cm

Espacement des semis : 5 cm

Durée de germination : 5 à 7 jours

Température (germination) : 10 à 21 °C

Température (post-germination) : 10 à 18 °C

Premier éclaircissage : 15 à 20 cm entre les plants quand le plant a 4 vraies feuilles

Espacement final des plants : 15 à 20 cm

Espacement des rangs (sans interligne) : 15 à 20 cm

Espacement des rangs (avec interligne) : 45 cm

Exposition : plein soleil, tolère la mi-ombre

Arrosage : modéré

Maturation : 50 à 75 jours

Durée de vie des semences : 3 ans

Ennemis : mêmes que le chou mais moins vulnérable sauf pour l'altise

Photo: Sélections All-America

CONCOMBRE

Nom botanique : *Cucumis sativus*

Famille : Cucurbitacées

Type : légume-fruit

Semis intérieur : 3 semaines avant la transplantation

Semis direct : après le dernier gel

Profondeur du semis : 2,5 cm

Espacement des semis : 2 semences par godet de 8 cm,
    10 cm en pleine terre

Durée de germination : 3 à 4 jours

Température (germination) : 27 à 35 °C

Température (post-germination) : 21 à 27 °C

Éclaircissage : 1 plant par pot de 8 cm ou à 45 cm
    quand 3 à 4 feuilles sont formées

Transplantation : après le dernier gel, quand le sol se réchauffe

Espacement final des plants (sans support) : 90 cm

Espacement final des plants (avec support) : 45 cm

Espacement des rangs (sans interligne) : 45 cm

Espacement des rangs (avec interligne) : 100 cm

Exposition : plein soleil

Arrosage : modéré

Maturation : 48 à 70 jours

Durée de vie des semences : 5 ans

Ennemis : chrysomèle rayée du concombre, flétrissement
    bactérien, tache angulaire, anthracnose, alternariose
    et mosaïque

CONCOMBRE

Le secret de la réussite avec les concombres est de maintenir des conditions assez égales (évitez les arrosages en dents de scie) et surtout, d'apprendre à les récolter à point. En effet, le fruit se mange immature : si vous le laissez trop grossir, il devient jaune et indigeste.

Dans les régions froides, semez à l'intérieur en godet de tourbe de 8 cm, à raison de trois graines par godet. Supprimez tous les plants sauf le plus fort quand ils ont trois à quatre vraies feuilles. Peu après, quand il n'y a plus de danger de gel, transplantez-les en pleine terre. Ailleurs, on peut semer en pleine terre à la date du dernier gel.

On peut laisser les concombres courir sur le sol, mais ils occupent beaucoup d'espace et donnent de moins beaux fruits, blancs au revers, souvent grugés par les limaces. Je suggère fortement de les faire grimper sur un support : on peut cultiver plus de plants dans le même espace, ce qui double la récolte et même davantage, et on obtient de très beaux fruits. Récoltez souvent : les concombres grossissent rapidement !

Je suggère fortement la culture de concombres « sans amertume » (« bitterfree »), comme 'Jazzer' ou 'Sweet Slice'. Non seulement sont-ils plus digestes que les autres, mais ils n'attirent pas la chrysomèle. Il existe aussi des concombres spécifiquement conçus pour la production de cornichons. Les concombres anglais, longs et sveltes, sont parthénocarpiques, c'est-à-dire qu'ils produisent des fruits sans être pollinisés et sont donc sans graines. Par contre, leur culture est plus délicate : il ne faut surtout pas les cultiver à moins de 35 m de concombres ordinaires qui pourraient les féconder.

La rotation et le choix de variétés résistantes font beaucoup pour prévenir les ravageurs.

Photo: www.jardinierparesseux.com

COURGE D'ÉTÉ, COURGETTE, ZUCCHINI

Nom botanique : *Cucurbita pepo*

Famille : Cucurbitacées

Type : légume-fruit

Semis intérieur : 3 semaines avant le dernier gel

Semis direct : quand le sol se réchauffe

Profondeur du semis : 2,5 cm

Espacement des semis intérieurs : 2 semences par godet
    de 8 cm, aux 30 cm

Espacement des semis directs : 30 cm

Durée de germination : 6 à 10 jours

Température (germination) : 21 à 35 °C

Température (post-germination) : 18 à 24 °C

Éclaircissage : quand le semis a 3 à 4 feuilles, éclaircir
    à 1 plant aux 60 cm ou 1 plant par godet

Transplantation : quand le sol se réchauffe à 21 °C

Espacement final des plants : 60 cm

Espacement des rangs (sans interligne) : 60 cm

Espacement des rangs (avec interligne) : 90 cm

Exposition : plein soleil

Arrosage : modéré

Maturation : 45 à 60 jours

Maturation (après transplantation) : 45 à 60 jours

Durée de vie des semences : 4 ans

Ennemis : mêmes que le concombre

COURGE D'ÉTÉ ET COURGETTE

La courge d'été est très productive. C'est un bon choix pour le débutant, car ses efforts seront facilement récompensés.

La courge d'été forme une touffe de grosses feuilles souvent marquées de taches argentées, et elle ne court pas comme les courges d'hiver (fiche suivante). Ainsi on peut en cultiver plus en moins d'espace.

La plus connue est la courgette (zucchini), cylindrique et verte (parfois jaune), mais il y en a beaucoup d'autres, comme le pâtisson (en globe aplati légèrement côtelé), la courge à cou droit (comme une courgette, mais renflée à une extrémité) et la courge à cou tors (idem, mais à cou crochu).

Le secret avec les courges est de les manger immatures (même très immatures dans le cas des pâtissons), quand le fruit est tendre, la peau mince et les graines absentes. Si on les laisse mûrir (et on peut le faire), le fruit est plus gros, mais il faut enlever l'écorce et les graines, et le goût sera moins fin. Laisser mûrir les courges sur le plant arrête la production pour la saison, mais si on récolte régulièrement les courges immatures, la production sera constante durant tout l'été. On peut aussi récolter les fleurs.

En région froide, on peut semer les courges d'été à l'intérieur en godet de tourbe, puis éclaircir pour ne laisser que la plante la plus forte dans le pot. Autrement on sème en pleine terre quand il n'y a plus de danger de gel et que la température du sol atteint 21 °C. Semez à environ 30 cm pour éclaircir à 60 cm.

Les courges d'été ont les mêmes ravageurs que le concombre, mais sont moins touchées. L'exception est le blanc, qui frappe souvent le feuillage en fin de saison. On peut semer des variétés résistantes au blanc, mais il n'y a pas trop à s'en soucier, car cette maladie n'affecte pas la récolte.

Photo: National Garden Bureau

COURGE D'HIVER ET CITROUILLE

Nom botanique : *Cucurbita pepo, Cucurbita maxima, Cucurbita moschata*

Famille : Cucurbitacées

Type : légume-fruit

Semis intérieur : 3 à 4 semaines avant le dernier gel

Semis direct : lorsque la température du sol atteint 21 °C

Profondeur du semis : 2,5 cm

Espacement des semis : 2 semences par pot de 8 cm; 30 cm en pleine terre

Durée de germination : 6 à 10 jours

Température (germination) : 21 à 32 °C

Température (post-germination) : 18 à 24 °C

Éclaircissage : 1 plant par pot de 8 cm quand 3 à 4 feuilles; 60 cm pour les semis directs

Transplantation : quand le sol se réchauffe

Espacement final des plants : 60 à 90 cm

Espacement des rangs (sans interligne) : 60 à 90 cm

Espacement des rangs (avec interligne) : 120 à 240 cm

Exposition : plein soleil

Arrosage : modéré

Maturation : 90 à 120 jours

Durée de vie des semences : 4 ans

Ennemis : mêmes que le concombre

COURGE D'HIVER ET CITROUILLE

La courge d'hiver diffère de la courge d'été par ses tiges coureuses longues et parce qu'on la consomme normalement à pleine maturité, à l'automne.

Il y a trop de variétés de courges d'hiver pour faire plus qu'en mentionner quelques-unes ici : citrouille (potiron), Hubbard, courge spaghetti, courge turban (« buttercup »), courgeron (courge « acorn ») et courge musquée (« butternut »). On mange la chair juteuse en soupe, en repas principal ou en dessert (la célèbre tarte à la citrouille), les fleurs (la plante produit un surplus de fleurs mâles) et même les graines. Aussi, certaines courges (notamment la citrouille) servent à des fins décoratives.

Dans les régions plus froides, semez-les à l'intérieur trois à quatre semaines avant le dernier gel en godet de tourbe, éclaircissant à un plant par pot. Ailleurs, on peut les semer en pleine terre quand le sol se réchauffe. Leur croissance est très rapide et elles demandent peu de soins sinon de rediriger vers le potager les tiges voyageuses. Pour gagner de l'espace, cultivez les courges d'hiver sur un support solide : elles y grimperont volontairement. Pour les variétés à petits fruits, aucun soin spécial n'est nécessaire, mais on doit soutenir les fruits plus pesants en fixant les deux extrémités d'une longueur de bas de nylon sur le support et en y déposant le fruit, comme dans un hamac. Les citrouilles sont cependant trop grosses et il faut les laisser courir au sol.

Récoltez après le tout premier gel, en laissant une longueur de tige fixée au fruit. Laissez les fruits sécher au soleil pendant une semaine avant de les mettre en chambre froide.

Les courges s'entrecroisent allègrement : on ne peut conserver les semences qu'à condition de ne cultiver qu'une seule variété par potager.

Photo : www.jardinierparesseux.com

ÉCHALOTE FRANÇAISE

Le mot « échalote » cause beaucoup de confusion au Québec, car on utilise aussi ce terme pour désigner l'oignon vert (voir p. 143). Je suggère d'utiliser le terme « échalote française » pour bien distinguer la vraie échalote, soit celle dont on consomme normalement la gousse recouverte d'une peau sèche. C'est un légume au goût un peu intermédiaire entre l'oignon et l'ail et très utilisé dans la cuisine française.

L'échalote française est un légume vivace… mais peu rustique sous notre climat. On la cultive alors comme une annuelle, non par semences (bien qu'elles soient occasionnellement disponibles) mais à partir de gousses ou de bulbilles achetées ou conservées de la récolte de l'année précédente. Il suffit de les enfoncer dans le sol à 2 cm de profondeur et à 10 à 12 cm d'espacement quatre à cinq semaines avant le dernier gel. On peut aussi planter les gousses très densément (à 2 cm d'espacement) si on désire manger les plants éclaircis comme oignons verts. Autrement, la récolte principale a lieu à la fin de l'été ou à l'automne. Il faut bien sécher les gousses (produites à raison de six à huit par plant), sinon elles ne se conserveront pas bien, même en chambre froide. Il est souvent plus facile de mariner la récolte à l'automne que d'essayer d'assurer la conservation des échalotes en chambre froide.

L'échalote française produit rarement des fleurs et encore plus rarement des graines. Souvent, par contre, la tige florale produit des bulbilles. Elles sont trop petites pour la consommation, mais se conservent bien l'hiver ; on peut alors les utiliser pour la plantation du printemps suivant.

Il y a peu de choix de cultivars d'échalote : habituellement les marchands offrent des gousses sans nom.

ÉCHALOTE FRANÇAISE

Nom botanique : *Allium ascalonicum*

Famille : Liliacées

Type : légume-feuille

Semis direct : 4 à 5 semaines avant le dernier gel

Profondeur de plantation : 2 cm

Espacement final des plants : 10 à 12 cm

Espacement des rangs (sans interligne) : 10 à 12 cm

Espacement des rangs (avec interligne) : 25 cm

Exposition : plein soleil

Arrosage : modéré

Maturation : 90 à 120 jours

Zone de rusticité : 6 (5 sous paillis)

Ennemis : mouche de l'oignon

Photo: www.jardinierparesseux.com

ÉPINARD

Si beaucoup de jardiniers ont de la difficulté avec l'épinard, c'est qu'ils sous-estiment son besoin d'une température fraîche. En effet, cette plante monte rapidement en graine (commence à fleurir) dès que la température se réchauffe le moindrement et son goût devient alors trop prononcé pour la consommation. Idéalement donc, on profite des périodes où les températures sont fraîches et même froides (il tolère le gel) pour cultiver l'épinard. On peut notamment le cultiver aux emplacements qui serviront plus tard aux légumes semés tardivement, comme les melons et les courges.

On sème l'épinard tôt, très tôt, dès qu'on peut mettre le pied au potager au printemps. Mieux encore, semez à l'automne, après deux ou trois gels sévères : ainsi il germera au printemps quand les conditions lui plairont. Après ce premier semis, faites des semis successifs jusqu'en juin et recommencez à la fin d'août, jusqu'à un mois du premier gel prévu. Pour le semis d'août (ou si vous préférez semer à l'intérieur au printemps), semez en caissette, placez celle-ci au frigo dans un sac de plastique transparent jusqu'à la germination, puis exposez-la à la lumière, et repiquez les plants en pleine terre quand ils ont trois à quatre vraies feuilles.

Normalement le semis se fait en pleine terre à un espacement de 5 cm. On éclaircit (et on consomme les plants, bien sûr) quand les feuilles se touchent, puis encore quand elles se touchent de nouveau, pour laisser les plants à un espacement final de 25 à 30 cm. Pour la récolte finale, coupez les plants à 3 cm du sol ; parfois de nouvelles pousses reprendront de la base, assurant une deuxième récolte.

Recherchez avant tout des variétés résistantes à la montée en graine, comme 'Melody' et 'Longstanding Bloomsdale Dark Green'.

ÉPINARD

Nom botanique : *Spinacia oleracea*

Famille : Chénopodiacées

Type : légume-feuille

Semis intérieur : 3 à 4 semaines avant le dernier gel

Semis direct : début du printemps, fin de l'été, automne

Profondeur du semis : 1,5 cm

Espacement des semis : 5 cm

Durée de germination : 7 à 14 jours

Température (germination) : -1 à 24 ˚C

Température (post-germination) : 16 à 18 ˚C

Premier éclaircissage : 10 à 12 cm

Espacement final des plants : 25 à 30 cm

Espacement des rangs (sans interligne) : 25 à 30 cm

Espacement des rangs (avec interligne) : 30 à 45 cm

Exposition : plein soleil, mi-ombre

Arrosage : modéré

Maturation : 40 à 60 jours

Durée de vie des semences : 3 ans

Ennemis : limace, ver gris

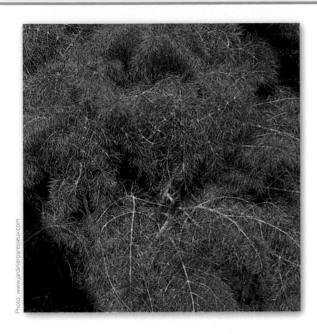

Photo : www.jardinierparesseux.com

FENOUIL À BULBE

Nom botanique : *Foeniculum vulgare dulce*

Famille : Ombellifères

Type : légume-feuille

Semis intérieur : 6 semaines avant le dernier gel

Semis direct : après le dernier gel

Profondeur du semis : 1 cm

Espacement des semis : 3 semences par alvéole,
    semis directs aux 5 cm

Durée de germination : 7 à 14 jours

Température (germination) : 18 à 24 °C

Température (post-germination) : 18 à 27 °C

Éclaircissage : 1 plant par alvéole à l'apparition
    des premières feuilles ; en semis direct, aux 20 cm

Transplantation : après le dernier gel

Espacement final des plants : 20 cm

Espacement des rangs (sans interligne) : 20 cm

Espacement des rangs (avec interligne) : 40 cm

Exposition : plein soleil

Arrosage : modéré

Maturation (semis direct) : 90 jours

Maturation (après transplantation) : 65 jours

Durée de vie des semences : 3 à 4 ans

Ennemis : peu fréquents

FENOUIL À BULBE

Dans nos régions, on connaît davantage le fenouil commun, qui produit des feuilles finement découpées utilisées comme condiment, mais moins le fenouil à bulbe, qui en est une variante dont les bases de feuilles renflées et engainées créent un « bulbe » vert pâle. Ce dernier se consomme comme légume légèrement cuit et a un goût doux rappelant un peu la réglisse. Comme son bulbe apparent fait partie de son feuillage, on le considère comme un légume-feuille. Remarquez que ses feuilles peuvent servir de condiment, exactement comme le fenouil commun.

C'est une plante d'apparence très ornementale, à cause de ses feuilles qui se présentent comme de minces filaments créant un effet mousseux dans le potager… ou l'aménagement comestible.

On sème habituellement en pleine terre aux 5 cm, éclaircissant à 20 cm quand les feuilles se touchent. On peut bien sûr utiliser les plants éclaircis en cuisine. On peut aussi semer à l'intérieur six semaines avant le dernier gel pour une récolte plus hâtive dans des alvéoles ou godets de tourbe, éclaircissant à un plant par contenant quand les premières vraies feuilles apparaissent. On peut faire un deuxième semis à la fin d'août pour l'automne.

On récolte quand le bulbe est bien formé. N'attendez pas trop longtemps, car il peut devenir fibreux. Le bulbe peut se conserver jusqu'à deux mois en chambre froide dans du sable humide.

C'est une plante de culture facile, généralement résistante aux insectes et aux maladies et présentant rarement le moindre problème dans un potager paillé.

Il est difficile de trouver de véritables cultivars. La variété la plus offerte est tout simplement « Florence Fennel », qui n'est pas un cultivar du tout, mais simplement le nom anglais du légume.

Les tenants du compagnonnage prétendent que le fenouil éloigne les insectes nuisibles du jardin.

Photo: www.jardinierparesseux.com

GOURGANE, FÈVE À DES MARAIS

Nom botanique : *Vicia faba major*

Famille : Légumineuses

Type : légumineuse

Semis direct : 3 à 4 semaines avant le dernier gel

Profondeur du semis : 3 cm

Espacement des semis : 15 cm

Durée de germination : 8 à 10 jours

Température (germination) : 4 à 24 °C

Température (post-germination) : 18 à 27 °C

Espacement final des plants : 15 cm

Espacement des rangs (sans interligne) : 15 cm

Espacement des rangs (avec interligne) : 40 à 50 cm

Exposition : plein soleil

Arrosage : modéré

Maturation : 75 à 100 jours

Durée de vie des semences : 2 à 3 ans

Ennemis : pas de problèmes importants

GOURGANE (FÈVE)

Le vrai nom de ce légume est fève ou fève des marais. Cependant, au Québec, nous avons tendance à utiliser le mot « fève » pour désigner le haricot (*Phaseolus* spp.). Pour éviter toute confusion, j'ai préféré utiliser ici le québécisme « gourgane ».

Il s'agit d'un légume au port dressé atteignant 60 à 100 cm de hauteur, aux fleurs blanches et mauves, qui produit de longues gousses charnues. On mange habituellement la « fève », le grain large et dodu contenu dans la gousse, à pleine maturité, fraîche ou séchée. Si on veut manger la gousse complète, il faut le faire quand elle est très petite, à environ 7 cm de longueur.

C'est un légume de climat froid qui tolère mal la chaleur estivale. On le cultive traditionnellement dans les régions plus froides du Québec où les chaleurs estivales ne nuisent pas à sa production, mais un bon paillis épais et des arrosages d'appoint, ainsi qu'un semis hâtif, aideront à maintenir la fraîcheur dont il a besoin pour bien réussir presque partout dans la province.

On sème la gourgane en pleine terre très tôt, trois à quatre semaines avant le dernier gel, à 3 cm de profondeur et à 15 cm d'espacement. La germination est généralement excellente : il est rarement nécessaire d'éclaircir.

Cette légumineuse vit en symbiose avec une bactérie (*Rhizobium leguminosarum viceae*) qui est généralement déjà présente dans le sol. Par contre, si vous la cultivez en pot, il faudra ajouter un inoculant de cette bactérie (inoculant pour pois), disponible chez les spécialistes des légumes, au moment du semis.

Attention ! Un petit nombre de personnes, surtout d'origine méditerranéenne, peuvent avoir une réaction sévère (le favisme) à la consommation de gourganes. Toujours consommer des grains cuits et en faible quantité la première fois qu'on en mange.

Photo: Sélections All America

HARICOT

Le haricot, incorrectement appelé fève au Québec, peut être grimpant (*P. vulgaris communis*, qu'on appelle « haricot à rames ») ou nain (*P. vulgaris nana*). Sa gousse peut être verte, jaune, pourpre, bicolore, etc., et la graine mature, blanche, jaune, noire, rouge, bicolore, etc.

On peut consommer les haricots frais (immatures) avec leur gousse avant que les graines commencent à se renfler, ou secs, écossés, à pleine maturité, quand les gousses s'assèchent.

Le haricot nain ne donne qu'une seule récolte : pour une production continue, il faut faire des semis successifs aux 10 jours jusqu'à la fin de juillet.

Le haricot grimpant mûrit environ cinq jours après le haricot nain. Par contre, il est beaucoup plus productif, car le même plant continue à produire pendant le reste de l'été jusqu'aux gels. Il faut un support très haut (environ 1,5 m) pour cette plante à croissance débordante. Si on le fait ramper au sol, il demande beaucoup d'espace

Attendez qu'il n'y ait plus de risque de gel et que le sol soit réchauffé avant de semer les haricots. La germination est rapide et généralement à 100 % : on peut donc les semer à leur espacement final sans avoir à les éclaircir. Pour une récolte maximale, appliquez une pincée d'inoculant à haricots (une bactérie appelée *Rhizobium leguminosarum phaseoli*) dans le trou de plantation avant de semer. Cette bactérie peut survivre pendant des décennies dans le sol : il n'est donc nécessaire de l'inoculer que la première fois.

Récoltez souvent, car si les haricots mûrissent trop sur la plante, la production s'arrête.

Les haricots sont peu touchés par les insectes si ce n'est des pucerons et des vers gris. Pour prévenir les maladies, ne semez pas trop tôt, arrosez par tuyau perforé et faites toujours une rotation. Aussi à essayer : le haricot d'Espagne (*p.loccinneus*), aux fleurs rouges comestibles et à gousses vertes.

HARICOT, «FÈVE»

Nom botanique : *Phaseolus vulgaris*
Famille : Légumineuses
Type : légumineuse
Semis : quand le sol atteint 20 °C
Profondeur du semis : 2 à 3 cm
Espacement des semis : 8 cm
Durée de germination : 5 à 10 jours
Température (germination) : 18 à 29 °C
Température (post-germination) : 16 à 24 °C
Espacement final des plants : 8 cm (haricots nains et grimpants sur support); 60 cm (grimpants sans support)
Espacement des rangs (sans interligne) : 8 cm
Espacement des rangs (avec interligne) : 30 à 40 cm (haricot nain); 75 cm (haricot à rames)
Exposition : plein soleil
Arrosage : modéré
Maturation (haricot frais) : 50 à 65 jours
Maturation (haricot sec) : 70 à 100 jours
Durée de vie des semences : 3 ans
Ennemis : sclérotique, moisissure grise, anthracnose, rouille, mildiou

Photo: National Garden Bureau

LAITUE

Nom botanique : *Lactuca sativa*

Famille : Composées

Type : légume-feuille

Semis intérieur : 4 semaines avant le dernier gel

Semis direct : 1 mois avant le dernier gel, puis
    aux 2 semaines

Profondeur du semis : 0,6 à 1,5 cm

Espacement des semis : 4 cm (semis directs), à la volée
    en caissette

Durée de germination : 7 à 14 jours

Température (germination) : 4 à 16 °C

Température (post-germination) : 13 à 18 °C

Éclaircissage : progressif, à mesure que les feuilles
    se touchent

Repiquage : quand le sol se réchauffe

Espacement final des plants : 15 à 20 cm pour la laitue en
    feuilles, 30 cm pour les laitues Boston et romaine,
    35 cm pour la laitue pommée

Espacement des rangs (sans interligne) : 15 cm pour la
    laitue en feuilles, 30 cm pour les laitues Boston et
    romaine, 35 cm pour la laitue pommée

Espacement des rangs (avec interligne) : 30 cm pour la
    laitue en feuilles, 35 cm pour les laitues Boston et
    romaine, 40 cm pour la laitue pommée

Exposition : plein soleil, tolère la mi-ombre

Arrosage : modéré

Maturation : 40 à 90 jours

Durée de vie des semences : 1 an

Ennemis : limace, puceron, mosaïque, mildiou

LAITUE

Il y a plusieurs variétés de laitues – la laitue en feuilles (qui comprend la laitue feuille de chêne et la laitue frisée), la laitue Boston, la laitue romaine, la laitue pommée et autres –, et toutes peuvent être vertes, rouges ou bicolores. En général, on sème la laitue en feuilles et la laitue Boston pour une récolte rapide en début et en fin de saison, et la laitue romaine pour une récolte plus tardive mais prolongée. La laitue pommée (de type 'Iceberg') est difficile à réussir dans le potager familial : il vaut mieux laisser sa culture aux professionnels.

On peut faire des semis intérieurs pour une récolte en primeur, mais habituellement on sème en pleine terre à partir de trois à quatre semaines avant le dernier gel, à 0,6 à 1,5 cm de profondeur et à 4 cm d'espacement. À mesure que les feuilles commencent à se toucher, on éclaircit et on récolte progressivement les jeunes plants, laissant entre 15 et 35 cm entre les plants à maturité, selon leur catégorie. On peut alors récolter tout le plant ou seulement les feuilles extérieures, ce qui prolonge la récolte. Ou, pour la laitue en feuilles, coupez toute la plante à 2,5 cm du sol et elle repoussera pour une deuxième, parfois une troisième, récolte.

La grande ennemie de la laitue est la chaleur, qui provoque une montée en graine et un feuillage indigeste. Un bon paillis aidera à garder le sol plus frais et à prolonger la récolte. Recherchez aussi des cultivars « résistants à la montée ». La laitue romaine est la plus résistante à la montée : elle produit parfois jusqu'à l'automne si on cueille uniquement ses feuilles extérieures.

Contrôlez les ravageurs (la laitue en feuilles est particulièrement vulnérable aux limaces) et faites une rotation pour prévenir les maladies.

MAÏS

Le maïs sucré est en fait une céréale que nous cultivons comme légume. Plantez cette grande plante (2 m et plus) du côté nord du potager pour ne pas qu'elle fasse ombrage aux autres légumes. Idéalement on consacrera tout un carré au maïs, dont les plants sont pollinisés par le vent, où une plantation regroupée facilite la fécondation. Dans l'aménagement comestible, on sème en rond pour créer un bel effet de graminée ornementale (voir p. 30).

Ne semez cette plante friande de chaleur qu'environ une semaine après la date du dernier gel. Dans les régions froides, on peut faire prégermer les graines dans un bocal (voir p. 39) quatre ou cinq jours avant le semis; semez alors les graines en pleine terre quand les germes apparaissent. Ou encore semez à raison de trois graines par godet de tourbe deux à quatre semaines avant le dernier gel.

Il existe des maïs jaunes, blancs et bicolores, et aussi des maïs Su (le maïs traditionnel, qu'il faut cueillir à point, car son goût sucré disparaît rapidement), Se (plus sucrés et qui le restent plus longtemps), Sh_2 ou super sucrés (très sucrés et qui le restent même après quelques semaines au frigo) et Triple Sweet (qui combinent les gènes Se et Sh_2). Les deux derniers germent difficilement en pleine terre : mieux vaut les faire prégermer avant le semis… et il faut aussi les planter loin de tout autre maïs pour éviter toute pollinisation croisée.

Cueillez le maïs quand les soies de l'épi sont brunes et que l'épi paraît dodu et plein à la palpation. Ouvrir pour regarder n'est jamais une bonne idée ! Et faites bouillir l'eau avant de récolter le maïs Su !

Des traitements préventifs avec du Bt peuvent réduire les infestations de vers.

Photo : National Garcer Bureau

MAÏS SUCRÉ, BLÉ D'INDE

Nom botanique : *Zea mays*

Famille : Graminées

Type : légume-fruit (céréale)

Semis direct : 1 semaine après le dernier gel

Profondeur du semis : 2,5 cm

Espacement des semis : 20 cm

Durée de germination : 4 à 12 jours

Température (germination) : 6 à 36 °C

Température (post-germination) : 18 à 24 °C

Espacement final des plants : 20 cm

Espacement des rangs (sans interligne) : 20 cm

Espacement des rangs (avec interligne) : 60 à 75 cm

Exposition : plein soleil

Arrosage : modéré

Maturation : 65 à 95 jours

Durée de vie des semences : 1 à 2 ans

Ennemis : oiseaux, raton laveur, pyrale du maïs, ver de l'épi du maïs, charbon

Photo: www.jardinierparesseux.com

MELON BRODÉ, «CANTALOUP»

Nom botanique : *Cucumis melo reticulatus*

Famille : Cucurbitacées

Type : légume-fruit

Semis intérieur : 3 semaines avant le dernier gel

Semis direct : après le dernier gel et lorsque le sol
    atteint 21 °C

Profondeur du semis : 1,5 cm

Espacement des semis : 2 semences par godet de tourbe
    de 8 cm

Durée de germination : 3 à 5 jours

Température (germination) : 27 à 32 °C

Température (post-germination) : 21 à 29

Éclaircissage : 1 plant par godet de 8 cm lorsque
    3 à 4 feuilles

Transplantation : après le dernier gel, quand le sol se
    réchauffe à 21 °C

Espacement final des plants : 40 cm

Espacement des rangs (sans interligne) : 40 cm

Espacement des rangs (avec interligne) : 100 cm

Exposition : plein soleil

Arrosage : modéré

Maturation (après transplantation) : 68 à 90 jours

Durée de vie des semences : 4 à 5 ans

Ennemis : chrysomèle rayée du concombre, maladies du
    concombre (voir p. 130)

MELON BRODÉ

Le melon le plus cultivé dans nos régions est le
melon brodé (*Cucumis melo reticulatus*), appelé à
tort « cantaloup » au Québec. Le terme « brodé » fait
référence à la broderie liégeuse qui recouvre le fruit,
alors que le vrai cantaloup (*C. melo cantaloupensis*)
a la peau lisse. Les deux ont une chair orangée très
parfumée. Il existe aussi divers melons tropicaux
(*C. melo inodorus*), à peau lisse et à chair verte sans
odeur, dont le melon de miel. Ils sont toutefois moins
adaptés à notre climat.

Cultiver des melons en plein air au Québec est
toujours un coup de dés : si l'été s'avère frais et
pluvieux, la récolte sera décevante ; s'il est chaud
et plutôt sec, vous aurez une bonne récolte. C'est
pourquoi il est sage de les cultiver sous abri, ouvrant
ce dernier le jour quand il fait chaud, ce qui permet
aussi la pollinisation. Souvent la couche froide ou la
petite serre qui a servi au printemps pour les semis
peut recevoir les melons l'été.

On peut théoriquement semer les melons en pleine
terre, mais mieux vaut les semer à l'intérieur, en godet
de tourbe, trois semaines avant le dernier gel, et ne
pas les repiquer à l'extérieur avant que la température
du sol dépasse 21 °C. On peut laisser les melons
courir dans le potager ou encore les faire monter
sur un solide support pour une production accrue.
Comme pour la courge d'hiver (voir p. 132), un petit
hamac fait d'un bas de nylon empêchera le lourd fruit
mûrissant de déchirer la plante.

Le fruit est mûr lorsqu'il change de couleur (de vert,
il passe au jaune) et qu'il se détache aisément de
son pédoncule.

Ne plantez que des melons hâtifs comme,
'Earlisweet', sous notre climat.

Photo : www.jardinierparesseux.com

MELON D'EAU, PASTÈQUE

Nom botanique : *Citrullus vulgaris*

Famille : Cucurbitacées

Type : légume-fruit

Semis intérieur : 3 semaines avant le dernier gel

Semis direct : après le dernier gel, lorsque le sol
   atteint 21 °C

Profondeur du semis : 1,5 cm

Espacement des semis : 2 semences par godet de tourbe
   de 8 cm

Durée de germination : 3 à 5 jours

Température (germination) : 27 à 32 °C

Température (post-germination) : 21 à 29 °C

Premier éclaircissage : 1 plant par godet de 8 cm, quand les
   plants ont 3 à 4 feuilles

Transplantation : après le dernier gel, quand le sol se
   réchauffe à 21 °C

Espacement final des plants : 40 cm

Espacement des rangs (sans interligne) : 40 cm

Espacement des rangs (avec interligne) : 100 cm

Exposition : plein soleil

Arrosage : modéré

Maturation (après transplantation) : 58 à 100 jours

Durée de vie des semences : 4 à 5 ans

Ennemis : mêmes que le melon brodé

MELON D'EAU

Non, vous n'aurez pas de gros melons d'eau oblongs comme vous pouvez en acheter au supermarché : les gros mûrissent trop lentement pour pouvoir être cultivés facilement sous notre climat. On peut toutefois bien réussir les petits melons d'eau ronds ou oblongs, à chair rouge, jaune ou orange, comme 'Sugar Baby' (rouge)

La culture des melons sans pépins est plus complexe : il faut planter trois plants de la variété sans pépins, à fleurs uniquement femelles, pour chaque melon « pollinisateur », c'est-à-dire d'une lignée surtout à fleurs mâles.

On cultive le melon d'eau de la même manière que le melon brodé (fiche précédente), le semant à l'intérieur en godet de tourbe trois semaines avant le dernier gel, le transplantant sous abri quand le sol se réchauffe, ouvrant l'abri le jour quand il fait chaud, ce qui permet aussi la pollinisation, etc. Les deux ne sont toutefois pas de proches parents : il ne faut pas penser utiliser un melon brodé (ou cantaloup) pour polliniser vos melons d'eau sans pépins ! Aussi, le melon d'eau est encore plus avide de chaleur que les autres melons : il est sage de recommencer à refermer l'abri le soir en fin de saison quand les nuits rafraîchissent. On ne peut tenter de le cultiver sans abri que si l'été est exceptionnellement chaud.

Il est difficile de juger si un melon d'eau est mûr, car sa peau ne change pas de couleur à maturité. Quand la vrille la plus proche du fruit devient brune, faites le « test du son » : tapotez doucement sur le fruit avec les jointures. Le fruit est mûr quand il sonne creux.

Le melon d'eau est peu sujet aux maladies sous notre climat, mais il faut surveiller la chrysomèle rayée du concombre.

Photo : www.jardinierparesseux.com

NAVET

Nom botanique : *Brassica rapa rapifera*

Famille : Crucifères

Type : légume-racine

Semis direct : début du printemps et fin de l'été

Profondeur du semis : 0,6 à1,5 cm

Espacement des semis : 3 cm

Durée de germination : 2 à 5 jours

Température (germination) : 10 à 35 °C

Température (post-germination) : 4 à 24 °C

Éclaircissage : quand les feuilles se touchent

Espacement final des plants : 10 à 12 cm

Espacement des rangs (sans interligne) : 10 à 12 cm

Espacement des rangs (avec interligne) : 30 cm

Exposition : plein soleil, tolère la mi-ombre

Arrosage : modéré

Maturation : 35 à 60 jours

Durée de vie des semences : 4 ans

Ennemis : ver gris, altise, mouche du chou

NAVET

On confond souvent le navet (*Brassica rapa rapifera*) avec le rutabaga (*B. napus napobrassica*) (voir p. 152). D'accord, ils appartiennent au même genre, mais ce sont deux espèces différentes qui ne s'entrecroisent pas. Le navet est plus petit, à épiderme et à chair blancs (l'épiderme exposé au soleil peut être pourpré chez plusieurs cultivars), et à croissance rapide. Le rutabaga est plus gros, à épiderme jaune au sommet pourpre, à chair jaune, et il prend tout l'été à mûrir.

Le navet est de culture très facile et mûrit rapidement. On le sème en pleine terre tôt au printemps, dès que le sol peut être travaillé, car il mûrit plus facilement quand les températures sont fraîches. On peut toutefois tenter des semis successifs durant l'été : s'il ne fait pas trop chaud, ils peuvent bien réussir. On peut toutefois se donner de meilleures garanties de récolte automnale en le ressemant vers la fin d'août ou au début de septembre.

On sème assez densément, à environ 3 cm d'espacement, car le feuillage est comestible. En éclaircissant les jeunes plants à mesure que leur feuillage se touche, on obtient plusieurs récoltes successives. Éclaircissez à 10 cm pour les variétés hâtives (35 à 40 jours) et à 12 cm pour les variétés tardives (41 jours et plus), quand la racine atteint 2,5 à 7,5 cm de diamètre. N'attendez pas trop, surtout durant les chaleurs de l'été, car la racine deviendra coriace et amère si elle reste trop longtemps en terre. À l'automne, récoltez-la avant le dernier gel : le navet n'est pas aussi rustique que le rutabaga.

Une rotation suffira pour prévenir les maladies, mais il faut parfois prendre des mesures pour contrer les altises et les mouches du chou, comme recouvrir les plants d'une couverture flottante. Crest 'White Lady' et 'Royal Crest' sont des cultivars hâifs; 'Purple Top White Globe' est le navet tardif classique.

Photo: www.jardinierparesseux.com

OIGNON

OIGNON

Nom botanique : *Allium cepa*

Famille : Liliacées

Type : légume-feuille

Semis intérieur : 8 semaines avant le dernier gel

Semis direct : 4 semaines avant le dernier gel

Profondeur du semis : 0,6 cm

Espacement des semis : 1,5 cm

Durée de germination : 4 à 5 jours

Température (germination) : 18 à 29 °C

Température (post-germination) : 13 à 24 °C

Transplantation : quand le sol se réchauffe à 10 °C

Espacement final des plants : 7,5 à 10 cm

Espacement des rangs (sans interligne) : 7,5 à 10 cm

Espacement des rangs (avec interligne) : 25 cm

Exposition : plein soleil, tolère la mi-ombre

Arrosage : modéré

Maturation (après transplantation) : 60 à 115 jours

Durée de vie des semences : 1 an, parfois 2

Ennemis : mouche de l'oignon, mildiou, alternariose, brûlure de la feuille

L'oignon peut prendre plusieurs formes : oignon de table, gros et rond ; oignon vert (ou oignon à botteler), mince et sans bulbe ; oignon à marinade, petit et rond… et beaucoup d'autres. L'épiderme de l'oignon peut en outre être jaune, blanc ou rouge. Et on peut le cultiver de différentes façons.

On peut d'abord le semer à l'intérieur huit semaines avant le dernier gel, à la volée en caissette. Quand les feuilles commencent à s'affaisser, rabattez-les à 7 cm de hauteur (vous pouvez consommer la partie coupée). On transplante les semis en pleine terre quand la température du sol atteint environ 10 °C, normalement quatre semaines avant le dernier gel. On peut aussi acheter des plants à transplanter en jardinerie.

Vous pouvez repiquer les plants soit à leur espacement final (7,5 à 10 cm), soit à 2,5 cm. Dans ce dernier cas, éclaircissez-les quand ils se touchent pour les utiliser comme oignons verts, en laissant les plus forts à leur espacement final pour leur permettre d'atteindre leur maturation complète.

On peut aussi semer les oignons en pleine terre environ quatre semaines avant le dernier gel. N'utilisez alors que les variétés très hâtives. Semez densément : vous utiliserez les plants éclaircis comme oignons verts.

Enfin, on peut planter les oignonnets offerts en jardinerie. Enfoncez-les dans le sol à 2,5 cm de profondeur et à 7,5 à 10 cm d'espacement.

L'oignon est mûr quand le feuillage de la majorité des plants s'est s'affaissé. Arrachez-le et laissez sécher l'oignon une semaine avant de le récolter. Nettoyé de son feuillage, il se conservera quatre mois et plus.

Attention ! Sous notre climat, il faut toujours utiliser des oignons à jours longs ; les oignons à jours courts ne mûriront pas.

Photo : www.jardinierparesseux.com

PANAIS

PANAIS

Nom botanique : *Pastinaca sativa*

Famille : Ombellifères

Type : légume-racine

Semis direct : aussitôt que le sol peut être travaillé

Profondeur du semis : 1,5 cm

Espacement des semis : 2,5 cm

Durée de germination : 10 à 21 jours

Température (germination) : 18 à 24 °C

Température (post-germination) : 16 à 18 °C

Éclaircissage : 7,5 à 10 cm quand les plants atteignent
    10 à 15 cm de hauteur

Espacement final des plants : 10 cm

Espacement des rangs (sans interligne) : 10 cm

Espacement des rangs (avec interligne) : 40 cm

Exposition : plein soleil, tolère la mi-ombre

Arrosage : modéré

Maturation : 120 à 140 jours

Durée de vie des semences : 1 an

Zone de rusticité : 5 (sous paillis)

Ennemis : papillon du céleri, mouche de la carotte

Le panais est un cousin à croissance plus lente de la carotte, prenant toute une saison à mûrir. Il exige, pour permettre à sa longue racine de se développer pleinement, un sol très profond. Ainsi vaut-il probablement mieux attendre pour l'essayer la deuxième année d'un nouveau potager, quand la barrière de papier journal s'est décomposée.

On sème le panais en pleine terre dès que le sol peut se travailler, à 1,5 cm de profondeur. Les graines sont très lentes à germer, prenant jusqu'à trois semaines. Durant ce temps, désherbez au besoin et remettez le paillis dès que possible, car le panais pousse mieux dans un sol frais. La plante forme peu à peu une touffe de longues feuilles vert foncé, comme des feuilles de carotte, mais moins découpées. Quand les plantes atteignent 10 à 15 cm, éclaircissez à 10 cm.

On récolte la racine tard à l'automne, après quelques gels sévères, car le froid améliore le goût. Vous pouvez d'ailleurs laisser quelques racines en pleine terre pour les récolter au printemps suivant : leur goût s'en trouvera grandement amélioré et l'épais paillis typique d'un potager de jardinier paresseux les protégera des froids de l'hiver. On peut conserver les racines une bonne partie de l'hiver en chambre froide.

Le panais est rarement touché par les insectes et les maladies. Parfois vous trouverez le papillon bariolé du papillon porte-queue du céleri, qu'il suffit simplement de déplacer sur une carotte sauvage. Encore plus rarement, la mouche de la carotte fait des dégâts. Si le problème est sévère, faites une rotation au printemps suivant et recouvrez les semis d'une couverture flottante.

Il y a peu de choix de cultivars : 'Andover', 'Gladiator' et 'Harris Model' sont les plus courants.

Photo : www.jardinierparesseux.com

PATATE DOUCE

La patate douce est un légume tropical qu'on songe rarement à cultiver dans les régions septentrionales, et pourtant elle y réussit très bien… si on sait choisir des cultivars de saison courte, comme 'Georgia Jet' ou 'Tainung 65'. Par contre, on ne la produit pas par semences (la plante est pratiquement stérile et n'en produit presque jamais), mais par sections de tubercule ou par bouturage.

Dans nos régions, on reçoit surtout des plants par la poste. Il s'agit de boutures enracinées qui sont expédiées normalement à la bonne période pour la plantation, soit environ deux semaines après le dernier gel.

Préparez le sol d'avance en le recouvrant d'une feuille de plastique noir à la date du dernier gel pour réchauffer le sol un peu. Ou encore plantez dans un contenant : le sol y sera naturellement plus chaud qu'ailleurs. Transplantez les boutures en les enfonçant dans le sol : seules les deux ou trois feuilles supérieures doivent apparaître. La plante produit des feuilles triangulaires ou découpées et des tiges rampantes.

Les gros tubercules mûrissent sous le sol et sont prêts quand le gel détruit le feuillage du plant. En attendant, le paillis aidera à garder le sol assez chaud pour permettre leur mûrissement. Déterrez-les avec soin, car ils sont fragiles. Ils peuvent se conserver tout l'hiver à environ 18 °C, mais pas en chambre froide (il y fait trop frisquet). Au printemps, on peut couper l'un des tubercules en sections et placer ces dernières dans un plateau de façon à ce que leur base trempe dans l'eau. Des tiges apparaîtront rapidement que vous pourrez casser à leur base et faire enraciner dans un verre d'eau. Voilà votre source de patates douces pour la deuxième année !

PATATE DOUCE, PATATE SUCRÉE

Nom botanique : *Ipomoea batatas*

Famille : Convolvulacées

Type : légume-racine

Bouturage (intérieur) : au dernier gel

Plantation en pleine terre : 2 semaines après le dernier gel

Profondeur de plantation : tout recouvrir sauf les 2 ou 3 feuilles supérieures

Température (post-germination) : 18 à 32 °C

Espacement final des plants : 35 à 45 cm

Espacement des rangs (sans interligne) : 35 à 45

Espacement des rangs (avec interligne) : 60 cm

Exposition : plein soleil

Arrosage : modéré

Maturation : 100 à 140 jours

Ennemis : altise

Photo: www.jardinierparesseux.com

POIREAU

Ce cousin de l'oignon ne produit pas de bulbe, mais une longue tige appelée fût et des feuilles lancéolées vert ou bleutées qui forment un éventail. Il croît lentement, mais sans difficulté.

Semez les poireaux à l'intérieur 12 semaines avant le dernier gel, à la volée en caissette ou à environ 1 cm d'espacement, en recouvrant les graines de 0,6 à 1 cm de terreau. Durant leur croissance dans la maison, rabattez régulièrement les semis à 12 cm de hauteur quand ils atteignent 15 cm ou plus : cela donnera des plants plus épais, du diamètre d'un crayon. Les feuilles coupées sont délicieuses en soupe ! On peut aussi acheter des plants en caissette prêts à transplanter.

On transplante en pleine terre, après une période d'acclimatation bien sûr, environ trois à quatre semaines avant le dernier gel (les poireaux, même jeunes, ne craignent pas le gel), en enterrant le collet de la plante sur 2 cm. Pour développer un fût bien blanc, rajoutez de plus en plus de paillis à mesure que les feuilles grandissent : la partie recouverte de paillis pâlira.

La récolte principale se fait à l'automne, après deux ou trois bons gels, car cela donne des poireaux plus sucrés. On peut aussi laisser hiverner quelques poireaux en pleine terre pour une récolte printanière.

Recherchez des cultivars rustiques « poireaux d'hiver », comme 'Arkansas' ou 'Arena', si vous voulez les laisser en pleine terre l'hiver.

On peut aussi cultiver le poireau d'hiver comme légume vivace. Dans ce cas, on ne récolte pas la première année, mais on laisse chaque souche former des rejets qu'on peut prélever à l'automne ou au printemps. Cela permet en plus d'admirer les très jolies fleurs blanches ou roses des poireaux, portées en boule à la fin du printemps.

POIREAU

Nom botanique : *Allium porrum*

Famille : Liliacées

Type : légume-feuille

Semis intérieur : 12 à 14 semaines avant le dernier gel

Profondeur du semis : 0,6 à 1 cm

Espacement des semis : 1 cm d'espacement

Durée de germination : 12 à 15 jours

Température (germination) : 24 °C

Température (post-germination) : 16 °C

Transplantation : 3 à 4 semaines avant le dernier gel

Espacement final des plants : 8 à 10 cm

Espacement des rangs (sans interligne) : 8 à 10 cm

Espacement des rangs (avec interligne) : 30 à 45 cm

Exposition : plein soleil, tolère la mi-ombre

Arrosage : modéré

Maturation (après la transplantation) : 105 à 150 jours

Durée de vie des semences : 2 ans

Ennemis : peu fréquents

Photo : www.jardinierparesseux.com

POIS

Nom botanique : *Pisum sativum*

Famille : Légumineuses

Type : légume-fruit

Semis direct : 4 à 6 semaines avant le dernier gel

Profondeur du semis : 2,5 cm

Espacement des semis : 2 cm

Durée de germination : 14 jours

Température (germination) : 4 à 24 ˚C

Température (post-germination) : 16 à 18 ˚C

Espacement final des plants : 2,5 cm

Espacement des rangs (sans interligne) : 2,5 cm

Espacement des rangs (avec interligne) : 30 cm pour les pois nains, 60 cm pour les pois grimpants

Exposition : plein soleil, tolère la mi-ombre

Arrosage : modéré

Maturation : 55 à 80 jours

Durée de vie des semences : 3 ans

Ennemis : puceron, ver gris, mildiou, anthracnose, fusarium

POIS

Il y a trois catégories principales de pois pour le potager familial. Le pois à écosser (*Pisium sativum medullare*) est le « petit pois » classique ; on laisse les cosses s'arrondir et on récolte quand les pois à l'intérieur sont bien dodus, en supprimant la cosse. Il y a aussi le pois des neiges (*P. sativum macrocarpon*), ou pois oriental, dont on mange la cosse encore aplatie et mince, avant que les pois soient très évidents. Il y a enfin le pois mangetout (*P. sativum saccharatum*), intermédiaire entre les deux autres, où les pois sont formés pendant que la cosse est encore comestible. Dans le potager familial, c'est la variété la plus populaire. Tous ces pois peuvent donner des pois secs pour la soupe aux pois si on les laisse mûrir pleinement. Et tous se cultivent de la même façon : ce n'est que le stade de la récolte qui diffère.

Le pois aime la fraîcheur et tolère le gel. On en profite pour le semer tôt, dès que le sol peut se travailler, à 2,5 cm de profondeur et à 2 cm d'espacement. Si c'est la première fois que vous en cultivez, ajoutez un peu d'inoculant rhizobien (*Rhizobium leguminosarum piseae*) pour favoriser une meilleure croissance. Même si la plupart des pois modernes sont des variétés naines, elles demandent quand même un peu de support : quelques branches insérées dans le sol ou un court treillis de 50 cm suffit. Les pois y grimperont tout seuls grâce aux vrilles portées à l'extrémité de leurs feuilles.

Récoltez les pois aussitôt qu'ils sont au stade désiré : plus vous en récoltez, plus ils en produisent.

Les pois sont généralement peu affectés par les insectes et les maladies si on fait une rotation convenable.

Photo: www.jardinierparesseux.com

POIVRON ET PIMENT

Le poivron et le piment sont de la même espèce. La différence est que le poivron ne contient que peu ou pas de capsaïcine (l'élément piquant des piments) et que son fruit est plus gros. On peut le manger vert ou à maturité (rouge, jaune, orange, pourpre, etc., selon le cultivar) : le fruit est alors plus sucré. Le petit fruit du piment fort est riche en capsaïcine et très piquant. On l'utilise surtout comme condiment. Au contraire du poivron, son goût s'accentue à maturité.

Les deux exigent beaucoup de soleil et une bonne chaleur pour bien produire. On peut acheter des plants en caissette ou les semer soi-même. Faites-le en caissette neuf semaines avant le dernier gel. En région froide, on les démarrera encore plus tôt : 12 semaines avant le dernier gel. Quand les premières vraies feuilles se forment, supprimez les cotylédons et repiquez les semis, en les enterrant jusqu'au niveau des vraies feuilles, dans des godets de 8 cm. En région froide, on les repiquera une deuxième fois, dans des godets de 15 cm, quand les racines rempliront le premier godet (le poivron/piment ne doit subir aucune ralentissement dans sa croissance). On ne les transplante en pleine terre que lorsque le sol et l'air sont réellement réchauffés, une semaine ou deux après le dernier gel. Il est très utile de les cultiver sous abri au début, mais il faut enlever ou ouvrir l'abri le jour pour permettre une pollinisation dès que la plante commence à fleurir.

On récolte les poivrons et les piments au stade vert ou mûr, selon ses goûts. Les derniers fruits de la saison n'auront sans doute pas le temps de mûrir pleinement et on les récoltera verts. Il ne mûrissent plus après la récolte. On peut hacher et congeler les poivrons; les piments sèchent bien ou se conservent marinés.

POIVRON, PIMENT

Nom botanique : *Capsicum annuum*

Famille : Solanacées

Type : légume-fruit,

Semis intérieur : 9 semaines avant le dernier gel (12 semaines en région froide)

Profondeur du semis : 0,6 cm

Espacement des semis : à la volée dans une caissette

Durée de germination : 6 à 8 jours

Température (germination) : 27 à 29 °C

Température (post-germination) : 21 à 29 °C

Premier repiquage : en petits godets de tourbe quand les premières vraies feuilles sont formées

Deuxième repiquage (en région froide) : 1 plant par godet de 12 à 15 cm si nécessaire

Transplantation : 10 jours après le dernier gel

Espacement final des plants : 30 cm

Espacement des rangs (sans interligne) : 30 cm

Espacement des rangs (avec interligne) : 40 cm

Exposition : plein soleil

Arrosage : modéré

Maturation (après transplantation) : 55 à 80 jours

Durée de vie des semences : 2 ans

Ennemis : puceron, anthracnose

POMME DE TERRE

La pomme de terre n'est que rarement produite par graines. Les « semences » de pomme de terre sont plutôt de petits tubercules de la taille d'un œuf. N'achetez que des tubercules certifiés libres de maladies : c'est déjà un pas vers une culture sans problèmes. On peut aussi couper en sections des pommes de terre remisées pour l'hiver, en laissant dans chaque section deux ou trois yeux.

On peut bien sûr enterrer les semences de pomme de terre, mais il faut alors les déterrer encore à la fin de l'été. Beaucoup de travail pour rien, quant à moi ! Je suggère plutôt de glisser tout simplement les semences sous le paillis du potager et de rajouter du paillis jusqu'à 15 à 25 cm pour commencer. Quand les tiges dépassent nettement du paillis, rajoutez-en encore 15 cm, puis 15 cm de plus quand elles émergent de nouveau. La plante s'enracinera dans le sol, mais produira ses tubercules dans le paillis. Pour la récolte, tirez sur les tiges, et les tubercules suivront, déjà propres !

La récolte des pommes de terre nouvelles se fait environ deux mois après la plantation. Pour la récolte principale, attendez que le feuillage meure à la fin de l'été.

La pomme de terre n'est pas sans ennemis, mais on peut prévenir la plupart en utilisant des semences certifiées, en faisant toujours une rotation et en évitant la monoculture. L'ennemi numéro un, le doryphore de la pomme de terre, a beaucoup de difficulté à trouver les plants isolés. On peut aussi recouvrir les plants d'une couverture flottante en début de saison pour l'en éloigner.

Attention ! Toutes les parties de la pomme de terre sont toxiques sauf les tubercules, incluant les petits fruits verts qui ressemblent à des tomates. Il faut même rejeter la partie verte des tubercules exposés au soleil.

Photo : www.jardinierparesseux.com

POMME DE TERRE, PATATE

Nom botanique : *Solanum tuberosum*

Famille : Solanacées

Type : légume-racine

Semis direct : 3 semaines avant le dernier gel

Profondeur de plantation : à la surface du sol

Espacement des plants : 25 à 30 cm

Durée de germination : 21 jours

Température (germination) : 7 °C et plus

Température (post-germination) : 16 à 18 °C

Espacement des rangs (sans interligne) : 25 à 30 cm

Espacement des rangs (avec interligne) : 60 à 75 cm

Exposition : plein soleil, tolère la mi-ombre

Arrosage : modéré

Maturation : 55 à 80 jours

Ennemis : doryphore, altise, taupin (ver fil-de-fer), hanneton, rhizoctomie, mildiou, verticilliose, alternariose, gale commune, flétrissement bactérien

Photo: National Garden Bureau

RADIS

Nom botanique: *Raphanus sativus*

Famille: Crucifères

Type: légume-racine

Semis: printemps; automne

Profondeur du semis: 1,5 cm

Espacement des semis: 2,5 à 5 cm

Durée de germination: 4 à 12 jours

Température (germination): 7 à 32 °C

Température (post-germination): 16 à 18 °C

Espacement final des plants: 2,5 à 10 cm

Espacement des rangs (sans interligne): 2,5 à 10 cm

Espacement des rangs (avec interligne): 20 cm

Exposition: plein soleil, tolère la mi-ombre

Arrosage: modéré

Maturation: 21 à 60 jours

Durée de vie des semences: 4 ans

Ennemis: mouche du chou

RADIS

Il existe beaucoup de variétés de radis, même si au Québec nous connaissons surtout le petit radis rond, qui peut être rouge, rose ou blanc. C'est une variété printanière, tout comme le radis français, qui est de la même couleur mais cylindrique, un peu comme une carotte courte. Le radis oriental, ou daïkon (long et blanc ou vert), et le radis d'hiver (gros, rond et à épiderme noir) sont plutôt des radis d'automne. Dans tous les cas, c'est un légume à croissance rapide qui demande de la fraîcheur pour bien pousser. Il faut récolter les radis à point, sinon ils deviennent fibreux et amers, puis montent en graine.

On sème les radis ronds et français tôt au printemps et encore à toutes les deux semaines pour une récolte continuelle. Semez-les à 1,5 cm de profondeur et à 2,5 cm d'espacement à partir du dégel jusqu'à la date du dernier gel. Après, il fait généralement trop chaud. On récolte les racines quand elles ont environ 2 à 3 cm de diamètre, ce qui ne prend que 20 à 35 jours.

Les radis d'automne et orientaux mûrissent en 40 à 60 jours. On les sème à 5 cm d'espacement environ un mois et demi avant le dernier gel. En les éclaircissant à 10 cm, on aurait une première récolte; la récolte finale se fait au moment du dernier gel. Le radis d'hiver se conserve longtemps en chambre froide.

Il faut toujours éloigner les radis de tout autre membre de la famille des Crucifères, car ils sont très vulnérables à la mouche du chou, et les concentrer ne fait qu'attirer cette bestiole. On peut aussi prévenir les dégâts en faisant une rotation et en recouvrant les semis d'une couverture flottante.

RHUBARBE

La rhubarbe est une exception à presque toutes les règles en ce qui concerne les plantes potagères à cause de sa permanence au jardin. En effet, on la plante à demeure et elle va y rester 20, 40, voire 60 ans et plus. Pas de rotation pour elle !

La rhubarbe est aussi une plante fort ornementale. Avec ses grandes feuilles ondulées, ses pétioles souvent rouges et sa magnifique hampe florale blanche au printemps, elle est tout simplement superbe et s'intègre parfaitement à l'aménagement comestible. D'ailleurs, plutôt que de consacrer un carré de culture à la rhubarbe (c'est principalement ce que vous aurez, avec seulement un peu d'espace pour quelques petits légumes en bordure), je suggère de la cultiver dans la plate-bande, tout simplement.

Il est possible de semer la rhubarbe, mais à quoi bon ? Les lignées produites par semences sont souvent moins productives que les cultivars spécialement sélectionnés pour le potager, comme 'Canada Red' ou 'Macdonald', les deux à pétioles rouges.

Plantez la rhubarbe au printemps ou à l'automne, les bourgeons au niveau du sol. Ne récoltez rien la première année et seulement quelques pétioles la deuxième. Supprimez aussi la tige florale durant cette période d'établissement. La troisième année, récoltez les pétioles tant qu'ils sont de bonne taille, soit sur plusieurs semaines au printemps, en les cassant à la base. Quand les nouveaux pétioles commencent à être plus minces, il est temps d'arrêter pour la saison. Ne consommez que le pétiole charnu : le limbe vert de la feuille est toxique. On peut d'ailleurs en faire un purin insectifuge (voir p. 97).

La rhubarbe ne demande presque aucun entretien une fois établie. Il n'est pas nécessaire de supprimer ses jolies fleurs. Si sa production diminue après 15 ans ou plus, divisez-la à l'automne.

Photo : www.jardinierparesseux.com

RHUBARBE

Nom botanique : *Rheum* x *cultorum, R. rhabarbarum, R. rhaponticum*

Famille : Polygonacées

Type : légume-feuille

Température (post-germination) : 4 à 24 °C

Espacement final des plants : 100 cm

Espacement des rangs : 100 cm

Exposition : plein soleil, mi-ombre

Arrosage : modéré

Récolte : printemps

Division des plants : automne

Durée de vie des semences : 2 ans

Ennemis : limaces, perce-oreilles

Photo : www.jardinierparesseux.com

RUTABAGA

Nom botanique : *Brassica napus napobrassica*

Famille : Crucifères

Type : légume-racine

Semis direct : 1 ou 2 semaines après le dernier gel

Profondeur du semis : 1,5 cm

Espacement des semis : 3 cm

Durée de germination : 3 à 5 jours

Température (germination) : 16 à 29 °C

Température (post-germination) : 16 à 18 °C

Éclaircissage : quand il y a 4 vraies feuilles

Espacement final des plants : 20 cm

Espacement des rangs (sans interligne) : 20 cm

Espacement des rangs (avec interligne) : 45 cm

Exposition : plein soleil, tolère la mi-ombre

Arrosage : modéré

Maturation : 90 à 100 jours

Durée de vie des semences : 4 ans

Zone de rusticité : 5 (sous paillis)

Ennemis : mouche du chou, altise, ver gris, hernie

RUTABAGA

Le rutabaga est souvent confondu avec le navet (voir p. 142), mais il produit une racine plus grosse, jaune orangé à l'intérieur plutôt que blanche, et il se récolte à l'automne alors que le navet est récolté en début de saison. Il produit une rosette de grandes feuilles vert foncé, ondulées et légèrement découpées. Si on le laisse en terre (il est passablement rustique sous un bon paillis), ce légume bisannuel fleurira la deuxième année.

Il n'y a pas de presse pour semer le rutabaga au printemps. D'ailleurs, en retardant son ensemencement, on évite la plupart de ses ennemis (mouche du chou, altise, ver gris, etc.), car leur période de nuisance se termine pour l'année une ou deux semaines après le dernier gel. La mouche du chou produit cependant une deuxième génération à la fin de l'été. Si vous avez eu des problèmes avec cet insecte l'année précédente, recouvrez vos rutabagas de géotextile à partir de la mi-août.

Semez à 1,5 cm de profondeur et à environ 3 cm d'espacement. Quand les plants ont quatre vraies feuilles, éclaircissez à environ 20 cm (15 cm si vous préférez des racines plus petites); le feuillage des plants éclaircis est comestible et peut tout de suite aller dans votre assiette comme première récolte. Il ne faut pas vous inquiéter si le sommet de la racine est exposé au soleil : c'est ainsi que le rutabaga pousse.

Récoltez quand les racines ont atteint la taille désirée. On peut leur laisser subir quelques gels à l'automne, ce qui les rendra plus sucrées. Arrachez la grosse racine, et taillez les feuilles et les racines secondaires, puis laissez-la au soleil quelques heures pour que les blessures se cicatrisent. On peut conserver les racines plusieurs mois en chambre froide. 'Laurentian' est le cultivar classique.

TÉTRAGONE

La tétragone, aussi connue sous le nom d'épinard de la Nouvelle-Zélande, n'est en fait nullement apparenté au véritable épinard (voir p. 134), mais c'est un excellent substitut. Sa force est de pouvoir pousser et produire durant les chaleurs de l'été, alors que le véritable épinard préfère la fraîcheur. En cultivant les deux, on peut avoir des « épinards » tout au long de l'été.

C'est une plante rampante aux feuilles triangulaires et charnues. On peut consommer sans se gêner ses jeunes feuilles tendres, pinçant la plante çà et là lors de la récolte. Cette taille constante ne fait que favoriser une repousse continue.

On peut semer la tétragone en pleine terre ou à l'intérieur. Dans les deux cas, faites tremper les graines très dures dans un thermos d'eau tiède avant de les semer, ce qui provoquera une germination plus rapide. À l'intérieur, semez trois graines par godet de tourbe quatre semaines avant le dernier gel, en les recouvrant de 2 cm de terreau, puis éclaircissez à un plant par godet quand il y a trois à quatre vraies feuilles. Repiquez à 45 cm d'espacement quand il n'y a plus de risque de gel.

Faites les semis directs quand il n'y a plus de danger de gel, à 15 cm d'espacement. Quand les feuilles se touchent, récoltez les plants en trop pour laisser 45 cm entre les plants restants. Il arrive fréquemment que cette plante se ressème toute seule dans les potagers non paillés.

La tétragone a peu d'ennemis, si ce n'est les limaces qui ne causent cependant pas de dégâts majeurs. Elle est facile à intégrer à un programme de rotation, car elle est toute seule de sa famille (les Aïzoacées); elle peut donc suivre n'importe quel légume.

Photo : www.jardinierparesseux.com

TÉTRAGONE, ÉPINARD DE LA NOUVELLE-ZÉLANDE

Nom botanique : *Tetragonia tetragonioides*, syn. *T. expansa*

Famille : Aïzoacées

Type : légume-feuille

Semis intérieur : en godet de tourbe 4 semaines avant le dernier gel

Semis direct : après le dernier gel

Profondeur du semis : 2 cm

Espacement des semis : 3 semences par godet; semis directs aux 15 cm

Durée de germination : 10 à 20 jours

Température (germination) : 21 à 27 °C

Température (post-germination) : 18 à 27 °C

Éclaircissage : quand les feuilles se touchent

Transplantation : après le dernier gel

Espacement final des plants : 45 cm

Espacement des rangs (sans interligne) : 45 cm

Espacement des rangs (avec interligne) : 80 cm

Exposition : plein soleil

Arrosage : modéré

Maturation : 50 à 60 jours

Durée de vie des semences : 3 ans

Ennemis : limace

Photo : www.jardinierparesseux.com

TOMATE

Nom botanique : *Lycopersicon esculentum*

Famille : Solanacées

Type : légume-fruit

Semis intérieur : 6 à 7 semaines avant le dernier gel

Profondeur du semis : 0,6 cm

Espacement des semis : 2,5 cm

Durée de germination : 6 à 8 jours

Température (germination) : 21 à 32 °C

Température (post-germination) : 16 à 21 °C

Premier éclaircissage/repiquage : à 5 cm quand les feuilles se touchent/en alvéole de 5 cm

Deuxième éclaircissage/repiquage : à 10 cm quand les feuilles se touchent/en alvéole ou godet de 10 cm

Transplantation : après le dernier gel, quand le sol se réchauffe

Espacement final des plants (sans support) : 60 cm

Espacement final des plants (avec support) : 45 cm

Espacement des rangs (sans interligne) : 45 cm

Espacement des rangs (avec interligne) : 70 cm

Exposition : plein soleil

Arrosage : modéré

Maturation (après transplantation) : 52 à 90 jours

Durée de vie des semences : 4 ans

Ennemis : limace, ver gris, doryphore, puceron, nématodes, diverses maladies dont la verticilliose, l'alternariose et la fusariose

TOMATE

La tomate est le légume le plus populaire dans les potagers de nos régions. On dirait que tout jardinier se fait un devoir d'en cultiver, peut-être parce que réussir à cultiver des tomates sous un climat aussi frais démontrera son savoir-faire de jardinier.

Les tomates se présentent dans une vaste gamme de couleurs, de formes et d'utilisations. Je vous suggère de consulter un catalogue de semences pour avoir quelques idées et de choisir en fonction de vos besoins : grosses tomates pour sandwiches, petites tomates cerises pour salades et soupes, tomates italiennes pour sauces, etc. Aussi, je suggère fortement de choisir surtout des tomates indéterminées (voir p. 56), car elles sont nettement plus productives, avec peut-être quelques plants déterminés pour les primeurs. Il est avantageux de cultiver les tomates, même les tomates déterminées, sur un tuteur ou un treillis. Une grande cage à tomates (voir p. 83) fera l'affaire des gigantesques tomates indéterminées.

Semez à l'intérieur en caissette, à la volée. Quand les plants ont quatre vraies feuilles, éclaircissez une première fois ou repiquez dans des alvéoles de 5 cm, en supprimant les deux cotylédons et en enterrant les semis juste sous les premières feuilles. Quand les plantes se touchent de nouveau, éclaircissez encore à 10 cm ou repiquez dans des alvéoles ou godets de tourbe de 10 cm. Quand il n'y a plus de risque de gel et que l'air et le sol sont bien réchauffés, transplantez à 45 cm d'espacement (60 cm pour les plants non tuteurés). Il n'est pas nécessaire ni même utile de supprimer les « gourmands » (voir p. 85) si vous utilisez une cage à tomates.

Les tomates sont un peu vulnérables aux insectes, mais que de maladies ! Choisissez toujours des variétés résistances à plusieurs maladies (voir p. 58) et faites toujours une rotation. Comme 'Celebrity' VFNT ou 'Sweet Million' TMV FN.

TOPINAMBOUR

Photo: www.jardinierparesseux.com

Le topinambour est un tournesol vivace qui produit, à la fin de la saison, de petites fleurs jaunes comme des tournesols… si la saison est assez longue. Dans bien des régions, il n'a pas le temps de fleurir ('Stampede' a la réputation d'être particulièrement hâtif et florifère). Qu'il fleurisse ou non, la floraison est purement une question d'esthétique : ce sont les tubercules qui nous intéressent.

En effet, sous le sol, cette plante produit une abondance de tubercules noueux, à épiderme blanc ou rouge selon le cultivar. Ces tubercules peuvent remplacer les pommes de terre dans beaucoup de recettes, ce qui est très intéressant pour le jardinier paresseux, car le topinambour est beaucoup plus facile à cultiver que la pomme de terre. C'est même peut-être le légume le plus facile de tous !

Attention, cependant ! Il ne faut jamais planter le topinambour avec les autres légumes : il est par trop envahissant, une véritable mauvaise herbe. Mieux vaut lui accorder un emplacement loin des autres légumes, peut-être entouré de gazon dont la tonte fréquente l'empêchera de trop vagabonder.

Plantez les tubercules à 10 cm de profondeur et à 60 cm d'espacement au printemps ou à l'automne. N'ayez crainte : tout cet espace sera bientôt rempli !

La plante produit de hautes tiges dressées de 2 et même 3 m, créant beaucoup d'ombre de son côté nord. Aucun tuteur ni entretien particulier n'est nécessaire une fois que les plants sont établis.

Après quelques gels, ou encore tôt au printemps, on déterre les tubercules (le gel en améliore le goût). Il reste toujours quelques petits tubercules en terre après la récolte, et c'est à partir d'eux que la prochaine génération fera son apparition. Nul besoin de rotation avec cette plante «sans problèmes». Si la production baisse après 15 à 30 ans, changez-les de place.

TOPINAMBOUR

Nom botanique : *Helianthus tuberosus*

Famille : Composées

Type : légume-racine

Plantation : au printemps ou à l'automne

Profondeur de plantation : 10 cm

Espacement des plants : 60 cm

Température (germination) : 10 à 16 °C

Température (post-germination) : 16 à 21 °C

Espacement final des plants : 60 cm

Espacement des rangs (sans interligne) : 60 cm

Espacement des rangs (avec interligne) : 75 cm

Exposition : plein soleil

Arrosage : modéré

Maturation : automne

Ennemis : blanc

GLOSSAIRE

BLANCHIR (CHOU-FLEUR, CÉLERI, ETC.): priver de lumière la tige, les feuilles ou les fleurs d'une plante (en les recouvrant de terre ou d'une couverture opaque) afin de les décolorer et de les rendre plus tendres.

CARENCE: manque d'une substance vitale dans le sol, qui se manifeste par divers symptômes, notamment une décoloration de la feuille ou une croissance ralentie.

COTYLÉDON: première feuille de l'embryon formée avant la germination de la graine. Selon la classe d'une plante, il y a un cotylédon (plante monocotylédone) ou deux (plante dicotylédone).

COUREUR: se dit d'un plant, notamment une courge (i.e. courge coureuse), aux tiges longues et rampantes.

COUVERTURE FLOTTANTE: étoffe transparente qui laisse passer l'eau et la lumière et qu'on place sur un rang de culture pour protéger les plants contre l'attaque d'insectes nuisibles.

CULTIVAR: variété obtenue et multipliée par l'humain. Son nom est indiqué par des guillemets anglais simples (' ').

CULTURE INTERCALAIRE: pratique permettant d'exploiter l'espace de culture au maximum en faisant la culture de légumes à croissance rapide entre les plants de légumes à croissance lente.

DÉTERMINÉ: plant qui a une hauteur déterminée, i.e. restreinte.

ÉLÉMENTS IMPORTANTS: Il s'agit des éléments «entre» les éléments majeurs et les oligo-éléments ou éléments mineurs. Il y en a trois, soit le calcium, le soufre et le magnésium.

ÉLÉMENTS MAJEURS: éléments essentiels à la survie d'un végétal; il y en a six, soit le carbone, l'oxygène, l'hydrogène, l'azote, le phosphore et le potassium.

ENGRAIS COMPLET: fertilisant contenant les trois éléments principaux de la fertilisation, soit l'azote (N), le phosphore (P) et le potassium (K).

FINES HERBES (HERBES AROMATIQUES): il s'agit de plantes dont les feuilles, les fleurs, les tiges ou les graines sont employées comme condiment.

FRUITIER: qui produit des fruits charnus et sucrés.

GLOMÉRULE (BETTERAVE, BETTE À CARDE): groupe de graines réunies en masse serrée.

GOURMAND: pousse verticale vigoureuse se développant soit sur une branche charpentière, soit, dans le cas des plantes greffées, à partir du porte-greffe, et qui, contrairement aux «gourmands» des tomates, ne produit pas de fruits.

HUMIFÈRE: qui contient de l'humus.

INDÉTERMINÉ: plant qui n'a pas de hauteur spécifique; il grandira durant toute sa vie.

INSECTIFUGE: qui éloigne les insectes.

INTERLIGNE (OU INTER-RANG): espace libre de culture compris entre deux lignes, rangées ou sillons.

JACHÈRE: état d'une terre qu'on laisse sans culture pendant un certain temps afin qu'elle reconstitue naturellement ses réserves.

MONOCULTURE: contrairement à la polyculture, culture d'une seule variété de plante sur un même terrain.

MONTER EN GRAINE: se dit d'un légume qui a atteint le stade où il forme des fleurs (et éventuellement des graines), ce qui le rend impropre à la consommation.

MYCORHIZE: association symbiotique entre un champignon et les racines d'une plante supérieure.

NON COUREUR: se dit d'un plant, notamment une courge (i.e. courge non coureuse), qui pousse en rosette ou en touffe et qui ne produit pas de tiges rampantes.

OLIGO-ÉLÉMENT: élément minéral (il y en aurait une dizaine) contenu dans un sol, un engrais, etc., mais requis à dose très faible par les plantes.

PARTHÉNOCARPIQUE: qui produit des fruits sans qu'il y ait eu fécondation.

pH: échelle de notation de 0 à 14 qui indique l'acidité ou l'alcalinité d'un sol.

PHOTOSYNTHÈSE: fonction par laquelle les plantes vertes, sous l'action de la lumière solaire, décomposent le CO_2 de l'air, fixent le carbone dans leurs tissus et relâchent l'oxygène dans l'air. Elle permet aussi d'assimiler les matières minérales puisées dans le sol.

PLANCHE (DE CULTURE): section de jardin, généralement du potager, réservée à une culture donnée.

POLYCULTURE: culture de nombreuses variétés de plantes sur un même terrain.

SOUS-SOL: couche de terre située sous la terre arable.

TURION: jeune pousse de l'asperge.

VERMICOMPOSTAGE: transformation de la matière organique en engrais par l'action de vers.

BIBLIOGRAPHIE

Bartholomew, Mel, *Square Foot Gardening*. Rodale Press, Emmaus, 1981, 347 p.

Crockett, James U., *Légumes et arbres fruitiers*, L'Encyclopédie Time-Life du Jardinage. Time-Life International (Nederland), sv, 1978, 158 p.

Gagnon, Yves, *La culture écologique des plantes légumières*, 2e éd. Les Éditions Colloïdales, Saint-Didace, 2004, 296 p.

Gagnon, Yves, *La culture écologique pour petites et grandes surfaces*. Les Éditions Colloïdales, Saint-Didace, 1990, 239 p.

Grenier, Roll, *Mon premier potager*, Collection #5. Spécialités Terre à Terre inc., sv, 1996, 81 p.

Hodgson, Larry, *Des semis réussis*, Collection terre à terre. Spécialités Terre à Terre inc., Québec, sd, 50 p.

Hodgson, Larry, *Les 1500 trucs du jardinier paresseux*, Collection Le jardinier paresseux. Broquet, Saint-Constant, 2006, 704 p.

Hodgson, Larry, *Les annuelles*, Collection Le jardinier paresseux. Broquet, Boucherville, 1999, 550 p.

Hodgson, Larry, *Les semis – Comment les réussir chez vous*, Collection #4. Éditions versicolores inc., sv, 1995, 61 p.

Hodgson, Larry, *Pots et jardinières*, Collection Le jardinier paresseux. Broquet, Boucherville, 2000, 408 p.

Lanza, Patricia, *Lasagna gardening*. Rodale Press, Emmaus, 1998, 244 p.

Mainardi Fazio, F., *La culture biologique du potager et du verger*. Éditions De Vecchi, Paris, 2001, 221 p.

Patent, Dorothy H. & D. E. Bilderback, *The Harrowsmith Country Life Book of Garden Secrets*. Camden House Pub., Charlotte, 1991, 351 p.

Phillips, Roger & M. Rix, *The Random House Book of Vegetables*. Random House, New York, 1993, 270 p.

Powell, Eileen, *From Seed to Bloom – How to Grow Over 500 annuals, Perennials & Herbs*. Storey Communications, Pownal, 1995, 312 p.

Smith, Edward C., *La bible du potager – La culture des légumes de A à Z*. Les Éditions de l'Homme, sv, 2001, 301 p.

INDEX